hora da guerra

COLEÇÃO JORGE AMADO
Conselho editorial
Alberto da Costa e Silva
Lilia Moritz Schwarcz

O país do Carnaval, 1931
Cacau, 1933
Suor, 1934
Jubiabá, 1935
Mar morto, 1936
Capitães da Areia, 1937
ABC de Castro Alves, 1941
O cavaleiro da esperança, 1942
Terras do sem-fim, 1943
São Jorge dos Ilhéus, 1944
Bahia de Todos os Santos, 1945
Seara vermelha, 1946
O amor do soldado, 1947
Os subterrâneos da liberdade
   Os ásperos tempos, 1954
   Agonia da noite, 1954
   A luz no túnel, 1954
Gabriela, cravo e canela, 1958
Os velhos marinheiros, 1961
A morte e a morte de Quincas Berro Dágua, 1961
De como o mulato Porciúncula descarregou seu defunto, 1963
Os pastores da noite, 1964
O compadre de Ogum, 1964
Dona Flor e seus dois maridos, 1966
Tenda dos Milagres, 1969
Tereza Batista cansada de guerra, 1972
O gato malhado e a andorinha Sinhá, 1976
Tieta do Agreste, 1977
Farda, fardão, camisola de dormir, 1979
O milagre dos pássaros, 1979
O menino grapiúna, 1981
A bola e o goleiro, 1984
Tocaia Grande, 1984
O sumiço da santa, 1988
Navegação de cabotagem, 1992
A descoberta da América pelos turcos, 1992
Hora da Guerra, 2008

hora da guerra
a segunda guerra mundial vista da bahia

JORGE AMADO

CRÔNICAS (1942-1944)

Seleção de Myriam Fraga e Ilana Seltzer Goldstein
Prefácio de Boris Fausto

Copyright © 2008 by Grapiúna — Grapiúna Produções Artísticas Ltda.

Indicação editorial Myriam Fraga/ Fundacão Casa de Jorge Amado

Consultoria da coleção e notas Ilana Seltzer Goldstein

Projeto gráfico Kiko Farkas e Elisa Cardoso/ Máquina Estúdio

Imagens de capa © Thomaz Farkas (capa); © Luiza Chiodi/ Companhia Fabril Mascarenhas (chita); © Zélia Gattai Amado/ Acervo Fundação Casa de Jorge Amado (orelha)

Pesquisa iconográfica do encarte Carmen Azevedo/ Reminiscências

Todos os esforços foram feitos para determinar a origem das imagens deste livro. Nem sempre isso foi possível. Teremos prazer em creditar as fontes, caso se manifestem.

Preparação Leny Cordeiro

Índice onomástico Luciano Marchiori

Revisão Carmen S. da Costa e Arlete Sousa

Agradecemos à Biblioteca Pública do Estado da Bahia
pela gentil dedicação na pesquisa de originais

Dados Internacionais de Catalogação na Publicação (CIP)
(Câmara Brasileira do Livro, SP, Brasil)

Amado, Jorge, 1912-2001.
    Hora da Guerra : A Segunda Guerra Mundial vista da Bahia. Crônicas (1942-1944) / Jorge Amado ; seleção de Myriam Fraga e Ilana Seltzer Goldstein ; prefácio de Boris Fausto. — São Paulo : Companhia das Letras, 2008.

    ISBN 978-85-359-1293-7

    I. Crônicas brasileiras I. Fraga, Myriam. II. Goldstein, Ilana Seltzer. III. Fausto, Boris. IV. Título.

08-06792   CDD-869.93

Índice para catálogo sistemático:
I. Crônicas : Literatura brasileira 869.93

Diagramação Estúdio O.L.M.

Papel Pólen Soft, Suzano Papel e Celulose

Impressão e acabamento RR Donnelley

[2008]
Todos os direitos desta edição reservados à
EDITORA SCHWARCZ LTDA.
Rua Bandeira Paulista 702 cj. 32
04532-002 — São Paulo — SP
Telefone (11) 3707 3500
Fax (11) 3707 3501
www.companhiadasletras.com.br

sumário

9   *Apresentação*
Myriam Fraga e
Ilana Seltzer Goldstein

13 *Prefácio*
Boris Fausto

27 Aniversário da "Hora da Guerra"

31 A poesia também é uma arma

34 Senhor do Bonfim, padroeiro das nações unidas

37 "Hispanidade", tradução malfeita...

40 Ódio

43 Unidade continental das Américas

46 Até a rendição incondicional

49 Carta do marinheiro a Iemanjá

52 Solidários com a vossa dor?...

55 Comédia das traições

58 A França dos grandes gestos

60 Pétain, o triste exemplo

63 Hitler contra Zumbi dos Palmares

67 Último diálogo dos chefes integralistas

69 Refugiados políticos

71 "África! África!"

74 A ciência mártir

77 Vingança contra os assassinos!

80 Absolvição!

83 As bandeirantes e o esforço de guerra

86 Maníacos do assassinato

89 A campanha da Sicília

91 Monólogo de Adolf...

94 Receios de Vichy...

96 Caiu Mussolini

98 Aniversário

100 Necessária e urgente

102 Balanço de aniversário

104 Perspectivas

106 Começou a debacle

108 Sucedem-se os acontecimentos

110 A Itália e a carta do Atlântico!

112 A Batalha da Inglaterra

114 Correspondentes de guerra

116 O mocinho e o herói

118 Tito e Mihailovic

120 Chamava-se Gastello

122 Crime contra a cultura

124 Os artistas modernos do Brasil e a guerra

126 Biblioteca do Combatente

128 A Carta da Vitória

130 Um aniversário

132	Noite sem lua	199	Fogo morto
134	De Londres a Berlim	202	Novos métodos da quinta-coluna
136	As camisas enterradas		
138	Criminosos	204	As fogueiras de livros
140	Os estudantes noruegueses	206	Considerações quase religiosas
142	Teerã significa liberdade	208	O pintor Scliar
144	Panorama	210	O Barão
146	A universidade	212	Os povos combaterão
148	A quinta-coluna	214	Voz da cultura
150	O diploma	216	O romancista Ehrenburg
152	Mestre Oswald, quase Ilya	218	Fascistas em ação
155	Os Bálcãs	220	Bolívia
157	A proposta russa	222	Razões da conferência verde
159	O genro	224	Revolta na Dinamarca
161	Luzes da vitória	226	França
163	Democracia em ação	228	A surpreendente geografia
165	Segundo aniversário	230	Um quadro de Segall
167	Cultura e democracia	232	Soldados da liberdade
169	Aniversário de Stalingrado	234	O gaiato de Madri
171	Roger Bastide na Bahia	236	Desmascaramento
173	Lutamos pela cultura	238	Arma secreta
176	Mágica em garrafas	240	Michael Gold
178	Os "humanitários"	242	Paris
180	Golpe branco na Argentina?	244	O mestre dos correspondentes
183	Onda de acontecimentos	246	A frente da Bretanha
185	Olga, Vladimir e Militsa	248	Literatura e espiritismo
187	Em defesa da cultura	250	O traidor vira herói
189	Democracia em ação	252	Fim de carreira
191	Democracia latino-americana	254	A batalha de Berlim
193	Conciliação impossível	256	Os charutos de Marx
195	Freda Kirchwey denuncia		
197	A lição húngara	259	Índice onomástico

apresentação

Myriam Fraga e Ilana Seltzer Goldstein

Quando Jorge Amado voltou a Salvador, em dezembro de 1942, encontrou a cidade literalmente em pé de guerra. Estava há dois anos fora do Brasil, auto-exilado no Uruguai e na Argentina, onde escreveu *O cavaleiro da esperança*, biografia de Luís Carlos Prestes (publicada primeiro em espanhol), e o romance *Terras do sem-fim*. Já era então um escritor reconhecido, e após a declaração de guerra do Brasil contra o Eixo, a exemplo de outros exilados, decidiu regressar e apresentar-se como voluntário na luta contra o nazifascismo.

Na chegada ao Brasil, em setembro, foi detido em Porto Alegre e enviado ao presídio de Ilha Grande, no Rio de Janeiro, onde ficou com outros presos políticos até ser posto em liberdade com a condição de viajar para a Bahia e permanecer nos limites do estado, sob vigilância.

A cidade de Salvador agitava-se com as notícias que chegavam de toda parte dando conta das atrocidades cometidas pelos nazistas. Em virtude do direcionamento da economia para a guerra, em junho começara o racionamento de gasolina, seguido do de carne, açúcar e leite, e da proibição do uso de luz elétrica na orla, a fim de despistar os submarinos alemães. Os ânimos se inflamaram especialmente a partir de agosto, com o bombardeio de cinco navios brasileiros no litoral nordestino, deixando um saldo de mais de quinhentos mortos e levando a população revoltada à depredação de casas comerciais pertencentes a alemães e italianos. Cerca de mil pessoas de nacionalidades pertencentes ao Eixo foram obrigadas a deixar as cidades litorâneas rumo ao interior, onde ficaram retidas — segundo as autoridades para evitar que enviassem sinais a navios inimigos.

Foi essa atmosfera tensa e agitada que Jorge Amado encontrou quando chegou a Salvador, o que ajuda a compreender o tom candente da coluna que passou a assinar em seguida no jornal *O Imparcial*. O convite veio do amigo Wilson Lins, filho do coronel Franklin Lins de Albuquerque, importante chefe político na região do São Francisco, desafeto do interventor Landulfo Alves e dono do jornal.

O Imparcial era um dos veículos de oposição à política de Getúlio Vargas e se tornou a trincheira perfeita para que Jorge Amado pudesse propagar suas idéias. Localizada na rua Rui Barbosa, próximo à rua Chile — centro nervoso da cidade, freqüentado pelos oficiais americanos —, a sede do jornal prestava-se igualmente a encontros e reuniões políticas, e suas sacadas eram utilizadas como tribuna para oradores inflamados.

Ainda em dezembro de 1942 inaugurou-se a coluna "Hora da Guerra", em que Jorge Amado comentava principalmente os acontecimentos da Segunda Guerra Mundial, mas também a política latino-americana, eventos culturais, a situação soviética, personalidades e fatos diversos da época. A publicação se estendeu até janeiro de 1945, quando, desafiando as ordens de confinamento, o escritor deixou a Bahia para chefiar a delegação de escritores baianos no I Congresso Brasileiro de Escritores, em São Paulo.

A incursão de Jorge Amado na redação de *O Imparcial* deixou como legado um precioso conjunto de centenas de textos jornalísticos. Da totalidade desse conjunto, escolhemos 103 crônicas para compor este volume, tendo por base dois critérios principais: amplitude temática e valor histórico — priorizamos textos que resgatassem o mais amplamente possível a memória desse período e que exalassem o calor da hora. Trata-se de um valioso corpo documental, capaz de revelar facetas surpreendentes tanto do autor como do contexto em que as crônicas foram escritas.

Myriam Fraga é poeta, contista, membro da Academia de Letras da Bahia e diretora da Fundação Casa de Jorge Amado.
Ilana Seltzer Goldstein é antropóloga, autora de *O Brasil best-seller de Jorge Amado: Literatura e identidade nacional* (SENAC, 2003).

prefácio

Olhares cruzados

Boris Fausto

Os artigos de Jorge Amado publicados no jornal *O Imparcial* entre 1942 e 1944 reunidos neste volume não constituem, como poderia parecer à primeira vista, uma súbita mudança de rumos na carreira de ficcionista do autor. Isso porque, desde os primeiros anos da década de 1930, ele já vinha combinando sua obra literária, de conteúdo nitidamente social, com as atividades políticas, como membro do Partido Comunista do Brasil (PCB).*

Enquanto escrevia seus primeiros livros, Jorge Amado participou de iniciativas do partido, a exemplo da Aliança Nacional Libertadora, cuja vida efêmera terminou em poucos meses, fechada pelo governo Vargas em julho de 1935. As posições políticas de esquerda valeram ao autor várias prisões, e após a instauração do Estado Novo seus livros foram queimados em praça pública, num episódio que lembra as façanhas nazistas contra a cultura.

Assim, os artigos publicados em *O Imparcial* inserem-se numa

---

* O Partido Comunista do Brasil (PCB) teve essa denominação desde sua fundação, em 1922, até 1960, quando seus dirigentes a alteraram para Partido Comunista Brasileiro, sem mudar a sigla PCB. Em 1962, a chamada "cisão chinesa" afastou-se do partido, criando o Partido Comunista do Brasil, com a sigla PC do B.

seqüência de atividades políticas, ainda que Jorge Amado fosse, essencialmente, em suas próprias palavras, um escritor de ficção. No texto que abre este volume e que comemora o primeiro aniversário de "Hora da Guerra", Jorge Amado diz: "Sou por vocação um romancista e agora mesmo venho de terminar de escrever mais um romance. Não creio, porém, que nenhum escritor possa, no momento presente, manter-se nos limites da sua obra de criação, seja o romancista, o poeta, o cientista". O momento, como sabemos, era o da Segunda Guerra Mundial.

Quando Jorge Amado começou a escrever os artigos, os anos mais terríveis da guerra iam ficando para trás. À custa de enormes sacrifícios, a União Soviética conseguira não só bloquear a entrada dos alemães em Moscou, em fins de 1941, como cercar o exército inimigo, em Stalingrado, no ano seguinte; os Estados Unidos entraram no conflito após o ataque a Pearl Harbor, em 1941, e a Inglaterra vencera a batalha aérea em defesa da ilha.

No Brasil, muitos escritores optaram por alguma forma de engajamento, como foi o caso do poeta Carlos Drummond de Andrade. Entre 1943 e 1945, nesse "tempo de partido e de homens partidos", como ele diz num belo verso, Drummond — muito próximo do PCB — escreveu poemas como "Ode a Stalingrado", "Com o russo em Berlim", reunidos no volume que tem o expressivo título de *A rosa do povo*.

Uma breve análise dos textos de *Hora da Guerra* torna-se mais fecunda se tratarmos de cruzar o olhar do presente com o olhar do passado. A ótica do presente está livre de pesadas cargas ideológicas e tem a vantagem que o conhecimento do desenrolar dos fatos possibilita. Mas é necessário não perder de vista o contexto histórico em que os textos foram escritos. Essa mirada nos permite entender melhor suas simplificações e seu tom apaixonado — simplificações e paixões de quem viveu o tempo decisivo da década de 1940.

Recordando a vivência da Segunda Guerra Mundial, convém ressaltar dois aspectos. De um lado, a dramaticidade do conflito, a cesura entre "as forças do bem" e "as forças do mal", expressa nitidamente nos artigos de *Hora da Guerra*. De outro, a quebra da rotina, introduzida pelas noites de blecaute, quando as grandes cidades brasileiras ficavam às escuras, e, mais ainda, a quebra introduzida pelos filmes, pela música popular, pelo traço dos caricaturistas, como uma espécie de contraponto brejeiro às tensões da guerra.

Quem melhor descreveu esse clima foi Roney Cytrynowicz, em *Guerra sem guerra: A mobilização e o cotidiano de São Paulo durante a Segunda Guerra Mundial* (2000), lembrando filmes satíricos, como *Samba em Berlim* (1943), *Berlim na batucada* (1944), este último anunciado por um cartaz em que Hitler aparece fantasiado para o Carnaval.

No plano da caricatura, destaquemos a figura de Belmonte, cognome de Benedito Barros Barreto. Nos anos 1930 e 1940, Belmonte representou uma das melhores vias de introdução do leitor brasileiro ao conhecimento dos fatos internacionais, com suas charges legendadas por comentários de Juca Pato, personagem a um tempo simplório e arguto, que falava por Belmonte. No seu traço surgiam Hitler com seus trejeitos histéricos; Mussolini travestido de legionário romano; Chamberlain pintado como uma figura risível, sempre de guarda-chuva na mão, aberto ou fechado, conforme as circunstâncias.

No campo da música popular, lançaram-se muitas marchas e sambas, dentre as quais vale destacar a marcha de José Gonçalves e André Gargalhada, de 1942, falando da ameaça da quinta-coluna (o inimigo infiltrado entre nós), na qual a expressão "galinha-verde" é uma referência depreciadora do integralismo:

Galinha-verde não entra no poleiro,
Diz o meu galo que é o dono do terreiro.
O papagaio já me pede por favor
Me leve ao tintureiro
Que eu quero mudar de cor.

De manhã cedo quando eu chego ao quintal,
Até tenho medo, é um barulho infernal.
Meu papagaio eu comprei lá na Pavuna
Mas o galo cisma que ele é quinta-coluna.

Uma visão maniqueísta está presente em quase todos os textos de *Hora da Guerra*. De um lado, na perspectiva de Jorge Amado, encontra-se o "bem supremo", encarnado pela União Soviética, a Inglaterra e os Estados Unidos. De outro, o "mal supremo", encarnado pelos países do Eixo: Alemanha, Itália e Japão. Essa linha deve ser entendida no contexto da Segunda Guerra Mundial, uma das poucas guerras justas do mundo contemporâneo. Não há excessiva retórica em dizer que, naqueles anos da década de 1940, jogava-se o destino da civilização, ameaçada pelo risco da vitória do nazifascismo.

Se hoje sabemos que o "mal supremo" era uma caracterização adequada, sabemos também que o "bem supremo" comporta uma análise mais restritiva. Mesmo mantendo a posição de que aquela era uma guerra justa, não se pode ignorar a presença de um país totalitário no "campo do bem", mas cujo papel foi crucial para se alcançar a vitória contra o Eixo. Nem se pode ignorar ações censuráveis, ou mesmo condenáveis, dos países democráticos. Lembre-se a destruição total de cidades alemãs e, sobretudo, a catástrofe produzida pelas bombas atômicas lançadas pelos norte-americanos em Nagasaki e Hiroshima.

Outro traço presente nos artigos de *Hora da guerra*, tão comum nessa e em outras épocas conflagradas, é a identificação do inimigo como um todo, sem distinguir entre governos e populações civis. No terreno da confrontação entre o bem e o mal, parecia não haver lugar para essas distinções, até porque, em grande medida, as populações dos países do Eixo apoiaram as aventuras e atrocidades dos governantes, ou se viram forçadas a silenciar diante delas. Uma frase atribuída a Stálin, citada na época como exemplo positivo de intransigência, hoje, se lembrada, causaria arrepios: "Alemão bom é alemão morto". Numa esfera bem mais modesta, mas na mesma linha, veja-se o artigo de Jorge Amado com o título "Absolvição!" (23/3/1943), escrito no contexto do torpedeamento dos navios mercantes brasileiros por submarinos do Eixo. Ali, Jorge Amado clama por vingança pela morte de marinheiros e civis brasileiros, e chega ao ponto de defender a absolvição de um padeiro nordestino, de nome José Evaristo, que matou um italiano, "em vingança do sangue brasileiro".

Nessa atmosfera de anjos e demônios, os demônios estavam por toda parte, de forma ostensiva ou disfarçada, o que não quer dizer que eles não existissem. Eram a quinta-coluna, constituída de espiões nazistas, integralistas ou pessoas equivocadas que desejavam fazer concessões aos países do Eixo para apressar o fim do conflito mundial. No artigo de aniversário de "Hora da Guerra", Jorge Amado acentua que "o desejo ardente da quinta-coluna é que se esqueça a guerra, que não se pense, que não se fale, não se escreva sobre ela. Todo escritor que esquece esse motivo vital do seu tempo e do seu povo está cooperando com a quinta-coluna". Se essa apreciação implacável pode parecer excessiva aos olhos de hoje, é necessário encará-la, mais uma vez, com os olhos do tempo, quando era impossível ignorar o momento decisivo que a humanidade vivia.

A esta altura, convém recuperar alguns elementos históricos da Segunda Guerra Mundial e, principalmente, a postura da União Soviética no conflito. Entre outras razões, porque Jorge Amado escreveu os artigos contra o nazifascismo da perspectiva política do PCB, cujos rumos seguiam as diretrizes de Moscou.

Pouco tempo separou, na perspectiva histórica, as duas grandes conflagrações do século XX. Cerca de 21 anos mediaram entre o fim da Primeira Guerra Mundial, em novembro de 1918, e o início da Segunda Guerra Mundial, em setembro de 1939. Entretanto, seria equivocado ver a última conflagração como mera continuação da primeira, tendo-se em conta as pesadas condições de paz impostas aos vencidos. Mas esse fator adquiriu um peso considerável ao dar lastro ao ressentimento do povo alemão, fartamente explorado pelos nazistas, como instrumento do seu avanço em direção ao poder, afinal logrado em 1933.

As feridas ainda não cicatrizadas da Primeira Guerra Mundial, as esperanças ilusórias de conter Hitler pela via das concessões diplomáticas e assim evitar um conflito, os temores com relação ao comunismo levaram várias lideranças ocidentais, na década de 1930, a uma política de apaziguamento. É essa política equivocada, de trágicas conseqüências, que Jorge Amado execra, criando um neologismo, aliás de curta duração — o "muniquismo". Trata-se de uma referência ao momento mais expressivo da política de apaziguamento, quando, em setembro de 1938, na cidade alemã de Munique, foi assinado um acordo de desmembramento da Tchecoslováquia em que figuraram como protagonistas Hitler e o primeiro-ministro inglês Neville Chamberlain. As ilusões de Chamberlain quanto à possibilidade de conter a agressão hitlerista cedendo-lhe o último território da Europa Ocidental com significativa população alemã logo se converteram na imagem de capitulacionista que ele carregou pelo resto da vida. Em poucos meses, o acordo de Munique se converteu num "farrapo de papel", quando Hitler invadiu o restante da Tchecoslováquia e em seguida a Polônia, dando origem à Segunda Guerra Mundial.

As posições dos países democráticos muitas vezes oscilaram diante da ameaça do nazifascismo, e isso não apenas na busca de evitar o conflito pela via das concessões. Por exemplo, Winston Churchill, que como primeiro-ministro iria se converter na grande figura da Batalha da Inglaterra, esperava impedir a aliança entre a Alemanha de Hitler e a Itália de Mussolini, que, entretanto, acabou se consumando. Se Churchill percebeu o caráter sinistro do nazismo, ao mesmo tempo nutriu simpatias pelo fascismo italiano. Ele acreditava que o fascismo era o regime político mais compatível com a "índole" do povo peninsular, e elogiava Mussolini, que segundo ele salvara a Itália das garras do comunismo.

Ao iniciar-se a Segunda Guerra Mundial, a União Soviética declarou-se neutra, definindo o conflito como uma disputa imperialista entre países capitalistas. Mas um mês após o início das hostilidades, estimulado pelo pacto de não-agressão germano-soviético, assinado em Moscou em agosto de 1939, Stálin ordenou a invasão do leste da Polônia, ao passo que os alemães ocuparam a parte ocidental daquele país.

Tudo mudou, não por iniciativa de Stálin, mas do governo alemão. Enquanto realizava um incessante bombardeio da Grã-Bretanha, sem encontrar porém condições para lograr uma paz em separado ou para desembarcar na ilha, Hitler decidiu invadir a União Soviética em junho de 1941. As razões para essa iniciativa arriscada, que representava a abertura de mais uma frente de batalha, encontram-se numa combinação de delírio ideológico e cálculo material. Os povos eslavos eram considerados pela camarilha nazista como povos inferiores, destinados à subserviência e à escravização. Ao mesmo tempo, apesar da sombra de Napoleão, Hitler acreditava que derrotaria rapidamente os exércitos soviéticos, alcançando assim uma série de ganhos materiais; entre eles o controle do petróleo do Cáucaso, das minas de carvão e dos campos de cereais da Ucrânia.

A invasão da União Soviética provocou uma alteração radical da linha estratégica de Moscou, seguida pelos partidos comunistas em todo o mundo. A agressão à "pátria do socialismo" transformara a "guerra imperialista" em guerra contra o socialismo e a humanidade. Desse modo, os partidos comunistas de todo o mundo assumiram a palavra de ordem da unidade de todas as forças democráticas na luta contra o nazifascismo. No Brasil, a partir de junho de 1942, mesmo reprimido e na clandestinidade, o PCB passou a apoiar a participação na guerra. Depois, em agosto de 1943, a chamada Conferência da Mantiqueira consagrou a tese da unidade nacional em torno do governo, com o apoio de Luís Carlos Prestes, líder do partido, preso desde 1938.

É essa postura que Jorge Amado adota nos artigos de *Hora da Guerra*. A palavra "unidade" ecoa em muitos deles — unidade nacional, unidade continental, unidade mundial, assim como a idéia de identidade sem divergências entre os três grandes líderes da luta contra o nazifascismo: Stálin, Churchill e Roosevelt. Mas é a Stálin que ele destina particularmente sua louvação. Entre outras passagens, ao comemorar o primeiro aniversário da vitória de Stalingrado ("Aniversário de Stalingrado", 5/2/1944), exalta "a ordem do dia do marechal Josef Stálin, o dos longos bigodes, aquele que tem um sorriso de criança inocente na face serena de sábio e de condutor de homens". No culto à personalidade de Stálin, Jorge Amado não estava sozinho. Era o tempo em que escritores e poetas latino-americanos em evidência, como Pablo Neruda no Chile e Nicolás Guillén em Cuba, teciam loas ao "guia genial dos povos", na realidade um dos maiores tiranos do século XX.

No caso específico do Brasil, o PCB se enredava em problemas ao assumir a nova estratégia, pois ela impunha a necessidade de suspender as críticas à ditadura do Estado Novo e buscar pontes com o governo. Veja-se, por exemplo, o artigo de Jorge Amado "Balanço de Aniversário" (22/8/1943), escrito em comemoração à declaração de guerra contra a Alemanha e a Itália, em que ele elogia o chefe de polícia do Distrito Federal, coronel Alcides Etchegoyen, notório anticomunista, pelo combate à quinta-coluna. Diz ele ainda, nesse artigo, que "o processo da união nacional, apesar de todas as vacilações de certos grupos, continua em marcha, ajudado em muito pelos discursos do presidente da República pronunciados em 11 de maio e em Volta Redonda". Ao mesmo tempo, é justo lembrar que Jorge Amado não embarca em elogios sem ressalvas à ação do governo Vargas, sobretudo no tocante à censura, assemelhada às arremetidas fascistas contra a "arte degenerada", nem poupa o anti-semitismo dos integralistas e de determinadas figuras dos círculos governamentais.

Um dos aspectos mais interessantes dos textos de *Hora da Guerra* encontra-se na análise da conjuntura política da América Latina, com ênfase na política externa dos diferentes países. Há aí, de passagem, uma referência elogiosa a Fulgêncio Batista, que se elegera presidente em Cuba e rompera relações com a Alemanha e a Itália. Mas a maior atenção se detém na Bolívia, no Chile e especialmente na Argentina.

Vamos nos concentrar no quadro da Argentina. Nos anos em que Jorge Amado escreveu os textos de *Hora da Guerra*, a situação política do país vizinho sofreu seguidas alterações. Em 1943, o então presidente Castillo foi derrubado por um golpe militar, e o novo governo, chefiado pelo general Pedro Ramírez, veio a ser substituído no ano seguinte por outro general, Edelmiro Farrell, testa-de-ferro do coronel Juan Domingo Perón. As inclinações nacionalistas e germanófilas dos dois governos, assim como do frágil presidente Castillo, eram evidentes. Mas o dado mais importante daquela conjuntura, como seria fácil perceber mais tarde, seria a ascensão do coronel Perón, que, na Secretaria de Trabalho e Previdência do governo, começava a forjar seus laços com o mundo sindical e os trabalhadores. Na época, a qualificação de "fascista" aplicada ao nascente populismo argentino era generalizada. Afinal de contas, Perón mobilizava as massas, tal como Mussolini e Hitler, e as boas relações entre o governo argentino e os governos da Alemanha e da Itália eram notórias. Somente em 1944 a Argentina rompeu relações com esses países, sob pressão dos Estados Unidos e da oposição democrática. À ruptura seguiu-se, em março de 1945, poucos meses antes do fim do conflito mundial, uma declaração de guerra meramente formal.

Vale a pena contrastar, respectivamente, a postura do Brasil e a da Argentina diante da guerra. Depois de se equilibrar entre os dois campos em luta, pragmaticamente, Getúlio Vargas inclinou-se para o campo dos países aliados (Estados Unidos, Inglaterra e União Soviética). O torpedeamento de navios mercantes brasileiros por submarinos alemães e as manifestações populares que explodiram nas grandes cidades levaram o governo a romper relações com a Alemanha e a Itália, em janeiro de 1942, e em seguida declarar guerra, em agosto daquele ano. Tudo culminou em 1944, com o envio da Força Expedicionária Brasileira para lutar na Itália.

Em grande medida, a postura diferenciada do Brasil e da Argentina, diante do conflito mundial, esteve na origem de uma história diversa das relações entre os partidos comunistas e os regimes vigentes, nos dois países, na década de 1940. Enquanto o Partido Comunista Argentino, que, aliás, nunca teve a importância do PCB, chocou-se com Perón, ou marcou suas distâncias para com ele, o PCB, como vimos, teve uma linha de aproximação com o getulismo, admitidos os vários ziguezagues: apoio ao governo nos últimos anos do Estado Novo e no curso da abertura democrática de 1945; denúncia de Getúlio como aliado do imperialismo, nos primeiros anos de seu chamado segundo governo (1951-4); reviravolta brusca a partir do suicídio do presidente, em agosto de 1954.

Dissemos que os escritos de *Hora da Guerra* contêm uma constante palavra de ordem: a unidade. Se isso é certo, ao mesmo tempo neles se insinua o dilema da nova configuração da ordem mundial, prenunciando os anos da Guerra Fria. Vejam-se, como exemplos, o caso da Iugoslávia e notadamente o da Polônia. Nos últimos anos da guerra, a disputa entre o governo polonês, no exílio em Londres, de um lado, e os comunistas e seus aliados, de outro, era clara. Jorge Amado toma partido pelos comunistas poloneses, descrevendo o povo polonês como amigo do povo russo e assemelhando a Polônia de pré-guerra à Alemanha de Hitler. A amizade russo-polonesa era uma inverdade histórica, e a comparação entre a Polônia e a Alemanha um evidente exagero, embora Jorge Amado tivesse razão ao lembrar os massacres de judeus, que tinham marcado a antiga Polônia, assim como o sentimento anti-semita, corrente em muitos setores sociais daquele país.

Por último, convém lembrar que, do ponto de vista político e ideológico, o Jorge Amado ficcionista da época que se seguiu a seu afastamento do PCB, por volta de 1954, tem pouco a ver com o

Jorge Amado da década de 1940, esses anos de guerra decisiva e de ilusões com o comunismo soviético. Não só ele como muita gente mudou de pensamento, o que é inteiramente compreensível. Quando mais não fosse, porque, num mundo e num país complexos como esses em que vivemos, manter as mesmas opiniões ao longo de toda a vida quase sempre é índice de dogmatismo, e não de coerência.

Boris Fausto é historiador e cientista político, professor aposentado do departamento de ciência política da Faculdade de Filosofia, Letras e Ciências Humanas da Universidade de São Paulo e membro da Academia Brasileira de Ciências.

HORA DA GUERRA

Aniversário da «Hora da Guerra»

JORGE AMADO
(ESPECIAL PARA "O IMPARCIAL")

A "Hora da Guerra" é uma pequena trincheira. Esse canto de página tem a sua importancia ampliada por ser publicada diariamente em "O IMPARCIAL", jornal militante da causa democrática, com uma recente tradição de luta que lhe garante a estima dos bahianos. A "O IMPARCIAL" devo agradecer muito da repercussão que possam ter tido essas crónicas diárias, nesse seu primeiro ano de vida.

Faz hoje um ano da "Hora da Guerra". Um escritor brasileiro que se encontrava no estrangeiro, voltou ao seu país mal lhe chegou a notícia da declaração de guerra. Voltou para ocupar um posto de luta, acreditava que nenhum brasileiro poderia deixar de vir cumprir com o seu dever perante a Pátria. As etapas da sua viagem de volta, movimentadas e independentes da sua vontade, terminaram por colocá-lo na Bahia, sua terra natal, motivo central de tôda sua obra de escritor. Um matutino democrático abriu-lhe suas colunas para uma crónica diária. Eis como nasceu a "Hora da Guerra". Nesse canto de página têm sido examinados os diversos problemas políticos do mundo em guerra. Com amplo desejo de acertar, de orientar os leitores, de ajudá-los na sua luta por um mundo melhor. Algumas dessas crónicas foram transcritas em jornais e revistas do Rio, de São Paulo e do norte, outras foram traduzidas e publicadas fora do Brasil. Algumas foram irradiadas. Outras discutidas.

Sou por vocação um romancista e agora mesmo venho de terminar de escrever mais um romance. Não creio, porém, que nenhum escritor possa, no momento presente, manter-se nos limites da sua obra de criação, seja o romancista, o poeta, o cientista. Tem a obrigação de empregar sua capacidade de escritor nos esclarecimento dos problemas referentes á guerra, dos problemas imediatos, êsses que surgem todos os dias. E' claro que ninguém vai imaginar que se possa escrever diariamente uma crónica perfeita. Um dia sai melhor, noutro dia mais fraca, mas de qualquer maneira representam uma contribuição para esclarecer o povo, uma ajuda ao esfôrço de guerra do país, e também marcam uma posição definida.

O desejo ardente da quinta-coluna é que se esqueça a guerra, que não se pense, não se fale, não se escreva sôbre ela. Todo o escritor que esquece êsse motivo vital do seu tempo e do seu povo está cooperando com a quinta-coluna.

Felizmente a grande maioria dos escritores brasileiros compreendeu exatamente o problema. Pelo menos aquela geração de escritores que surgiu com a vitória da revolução de 30, trazendo a experiência do romance social e os estudos de sociologia. Estão de armas em punho e já hoje há uma conciência de que a pena ou a máquina de escrever são armas tão mortais e necessárias quanto o fuzil e a metralhadora. Na "Hora da Guerra" um escritor brasileiro tem procurado dar sua contribuição para a vitória da liberdade sôbre a opressão, da cultura sôbre o obscurantismo, da democracia sôbre o terror, das Nações Unidas sôbre o niponazi-fascismo.

Uma pequena trincheira. Não importa muito que seja pequena, o que importa é que seja uma trincheira. Diariamente, durante um ano, o fascismo foi combatido desde êsse canto de página. Num dia de aniversário cumpre sempre dizer alguma coisa sôbre o futuro. Vamos entrar em 1944, ano da vitória final, ao que tudo indica. O que a "Hora da Guerra" pode prometer é continuar, enquanto exista, a sua luta pela liberdade, pela democracia, pela vitória realmente do povo. Contra o nazi-fascismo, a quinta-coluna e o muniquismo.

Resta-me agradecer aos leitores tão amigos. Recebi, por causa dessas crónicas, descomposturas e ameaças. A quinta-coluna ainda é forte. Mas recebi também o estímulo de inúmeros leitores. Mais forte que a quinta-coluna é o amor do povo á liberdade!

ANIVERSÁRIO DA "HORA DA GUERRA"

23/12/1943

A "HORA DA GUERRA" É UMA PEQUENA TRINCHEIRA. ESSE CANTO DE PÁGINA TEM A SUA importância ampliada por ser publicada diariamente em *O Imparcial*, jornal militante da causa democrática com uma recente tradição de luta que lhe garante a estima dos baianos. A *O Imparcial* devo agradecer muito da repercussão que possam ter tido essas crônicas diárias, nesse seu primeiro ano de vida.

Faz hoje um ano da "Hora da Guerra". Um escritor brasileiro que se encontrava no estrangeiro, voltou ao seu país mal lhe chegou a notícia da declaração de guerra. Voltou para ocupar um posto de luta, acreditava que nenhum brasileiro poderia deixar de vir cumprir com o seu dever perante a pátria. As etapas da sua viagem de volta, movimentadas e independentes da sua vontade, terminaram por colocá-lo na Bahia, sua terra natal, motivo central de toda sua obra de escritor. Um matutino democrático abriu-lhe suas colunas para uma crônica diária. Eis como nasceu a "Hora da Guerra". Nesse canto de página têm sido examinados os diversos problemas políticos do mundo em guerra. Com amplo desejo de acertar, de orientar os leitores, de ajudá-los na sua luta por um mundo melhor. Algumas dessas crônicas foram transcritas em jornais e revistas do Rio, de São Paulo e do norte, outras foram traduzidas e publicadas fora do Brasil. Algumas foram irradiadas. Outras discutidas.

Sou por vocação um romancista e agora mesmo venho de terminar de escrever mais um romance. Não creio, porém, que nenhum escritor possa, no momento presente, manter-se nos limites da sua obra de criação, seja o romancista, o poeta, o cientista. Tem a obrigação de empregar sua capacidade de escritor no esclarecimento dos problemas referentes à guerra, dos problemas imediatos, esses que surgem todos os dias. É claro que ninguém vai imaginar que se possa escrever diariamente uma crônica perfeita. Um dia sai melhor, noutro dia mais fraca, mas de qualquer maneira representam uma contribuição para esclarecer o povo, uma ajuda ao esforço de guerra do país, e também marcam uma posição definida.

O desejo ardente da quinta-coluna é que se esqueça a guerra, que não se pense, não se fale, não se escreva sobre ela. Todo o escritor que esquece esse motivo vital do seu tempo e do seu povo está cooperando com a quinta-coluna.

Felizmente a grande maioria dos escritores brasileiros compreendeu exatamente o problema. Pelo menos aquela geração de escritores que surgiu com a vitória da Revolução de 30, trazendo a experiência do romance social e os estudos de sociologia. Estão de armas em punho e já hoje há uma consciência de que a pena ou a máquina de escrever são armas tão mortais e necessárias quanto o fuzil e a metralhadora. Na "Hora da Guerra" um escritor brasileiro tem procurado dar sua contribuição para a vitória da liberdade sobre a opressão, da cultura sobre o obscurantismo, da democracia sobre o terror, das Nações Unidas sobre o nipo-nazifascismo.

Uma pequena trincheira. Não importa muito que seja pequena, o que importa é que seja uma trincheira. Diariamente, durante um ano, o fascismo foi combatido desde esse canto de página. Num dia de aniversário cumpre sempre dizer alguma coisa sobre o futuro. Vamos entrar em 1944, ano da vitória final, ao que tudo indica. O que a "Hora da Guerra" pode prometer é continuar, enquanto exista, a sua luta pela liberdade, pela democracia, pela vitória realmente do povo. Contra o nazifascismo, a quinta-coluna e o muniquismo.

Resta-me agradecer aos leitores tão amigos. Recebi, por causa dessas crônicas, descomposturas e ameaças. A quinta-coluna ainda é forte. Mas recebi também o estímulo de inúmeros leitores. Mais forte que a quinta-coluna é o amor do povo à liberdade!

A POESIA TAMBÉM
É UMA ARMA
31/12/1942

NUMA MANHÃ DE LUTO PARA A INTELIGÊN-
CIA, OS NAZIFASCISTAS ITALIANOS E ALEMÃES, QUE usavam a
máscara nacionalista de Franco, encostaram num muro de fuzilamento o poeta Federico García Lorca, cantor dos *gitanos*, da An-
daluzia, da beleza de Espanha. Era a voz mais popular e o coração
mais ardente que nascera em Granada, e em Granada, a cidade
que ele amava sobre todas, os inimigos da Cultura e da Inteligência o fuzilaram. Antonio Machado foi morto, morto num [?] espanhol, nos descreveu a cena em versos que viverão eternamente.
Mas também Antonio Machado foi morto, morto num campo de
concentração da França já então traída pelos Pétains de vergo-
nhosa velhice, pelos Lavals de sórdida maturidade. Os demais
poetas espanhóis andam pelo mundo do exílio para onde foram
expulsos pelos criminosos pardos.

Um dia, quando as hordas nazistas "nacionalizaram" a Áustria
livre, pátria das valsas, da música amável, da alegria simples, um
velho de mais de oitenta anos, Sigmund Freud, que havia refor-
mado a psicologia moderna, foi salvo do muro de fuzilamentos
pela democracia inglesa. Mas o abalo moral e os insultos sofridos
mataram Freud quase em seguida. Sem pátria, ele não resistiu.

Thomas Mann, o maior escritor vivo da Alemanha, sua maior
figura no campo das letras, teve que procurar uma nova pátria nas
terras livres da América. Seu crime? É necessário que todos os
brasileiros o conheçam: ser filho de mãe brasileira e não ter, por
conseqüência, um puro sangue ariano. Não importava a Hitler
que o sangue tropical da mulher brasileira que corria nas veias de
Thomas Mann tivesse contribuído poderosamente para a maravilha do romance moderno que é *A montanha mágica*. Thomas
Mann foi expulso da Alemanha e das universidades. E, com ele,

Heinrich Mann, seu irmão, dos mais lidos romancistas de hoje. Remarque, Ludwig, Zweig, que depois iria se matar, legiões de poetas, sábios e artistas que não queriam baixar à desgraça de apoiar as idéias nazistas, tiveram que fugir da Alemanha e dos países ocupados. Einstein, o gênio primeiro das matemáticas no século xx, ia à frente dos fugitivos da inteligência e da cultura. Esse foi, sem dúvida, o mais degradante espetáculo que o mundo já assistiu: os monstros da Gestapo, entre gargalhadas bestiais, expulsando das suas pátrias o que havia de mais profundo na inteligência universal. Hoje, aos sábios e escritores alemães, austríacos e espanhóis, se juntaram os de todas as nações ocupadas, não porém vencidas. Não faz muito li um emocionante apelo da Sociedade de Escritores dos Estados Unidos, que Theodore Dreiser preside, em favor dos artistas, escritores e sábios que, expulsos das suas pátrias sob o terror nazi, sofrem as maiores dificuldades econômicas. Outros — como Lessig, Ascher, Silberschmidt — são assassinados nos campos de concentração.

Não é preciso repetir que o nazismo, acima de tudo, odeia a inteligência e a cultura. Bem sabe ele que estas são armas da liberdade e que, enquanto elas existam, não lhe é possível dominar o mundo. Todos nós sabemos disso. Por que então os escritores todos, todos os artistas, os sábios e os poetas, não se atiram à luta real e decidida contra a ameaça de escravidão nazista que pesa sobre o mundo e sobre o Brasil? Por que alguns se deixam ficar, cômoda e criminosamente, perdidos em sonetos e em poemas, em inoportunas discussões de ordem estética?

É esta pergunta que ressalta do artigo de Jacinta Passos, no *O Imparcial* de ontem. É esta pergunta também que se traduz no chamado à unidade dos escritores, que Clóvis Amorim publicou há dias na *A Tarde*. Eis aí umas das vozes mais altas da atual poesia brasileira e um dos nomes que lideram o romance moderno do Brasil, tendo ambos uma visão real do problema imediato dos escritores e artistas. Unidade e ação. Estas vozes baianas vêm se juntar àquelas outras de José Lins do Rego, Erico Verissimo, Marques Rebelo, Augusto Frederico Schmidt, Wilson Lins e

Graciliano Ramos, que, em entrevistas, artigos e discursos têm chamado os escritores à unidade e à ação. Vozes que representam setores diversos da inteligência brasileira, homens católicos, homens da arte social e homens da "arte pela arte". É preciso compreender que não serão somente os escritores da esquerda que sofrerão com a escravidão nazista. O ódio bestial do nazismo contra a inteligência atingirá, indistintamente, a todos os artistas e escritores. Mesmo porque se algum apoiar a indignidade germano-fascista ele deixa de ser um escritor ou um artista: é apenas um nazi traidor da pátria. Se o nazismo dominasse o mundo sofreríamos nós todos, homens da cultura e da beleza. Nós todos, sem exceção.

Por tudo isso quero trazer imediatamente meu apoio à idéia de Jacinta Passos de que os escritores e artistas baianos se reúnam numa Legião da Cultura para a Vitória. E concito, em nome da dignidade da inteligência ultrajada por Hitler e por seus cúmplices, os demais artistas e escritores da Bahia a formarem nela. Leal e francamente, estendo minha mão a todos os demais escritores. De parte todas as diferenças de ordem estética. Lado a lado, acadêmicos e modernos, católicos e livre-pensadores, escritores da "arte pela arte" e escritores da arte social. Para provarmos ao nazismo que a poesia é realmente uma arma do povo, da liberdade e da pátria.

Os criminosos nazis destruíram, faz pouco, o museu em que fora transformada a casa de Tolstói. Mataram alguns dos melhores poetas do mundo, exilaram toda a inteligência e a cultura dos países que ocuparam. Em nome do Brasil e em nome da cultura estamos nós, os escritores e artistas, em guerra contra o nipo-nazifascismo. Vamos provar que as nossas armas sabem também ferir e matar.

SENHOR DO BONFIM, PADROEIRO DAS NAÇÕES UNIDAS
15/1/1943

MARAVILHA DE POESIA E DE LIRISMO TRANS-BORDANDO, A LAVAGEM DA IGREJA DO Bonfim sagrou o maior e mais amado dos santos da Bahia como padroeiro das Nações Unidas. Aos pés do santo todo-milagroso, o povo baiano depositou suas esperanças de vitória breve. Uma grande vela com as cores da nossa bandeira, levada aos ombros de mulheres do povo, cortada pelo V da vitória, está, desde hoje, depositada na igreja mais popular da cidade, para ser acendida no dia em que, da face da terra, desapareça o nazifascismo, no dia da paz, quando as Nações Unidas tenham ganho a última batalha.

Foi das cenas mais lindas que já assisti. Primeiro, a saída da procissão da Conceição da Praia, procissão de maravilhosa ingenuidade, de uma pureza quase miraculosa, terna e alegre. As baianas, nas suas grandes roupas de festa, nessas esplêndidas saias engomadas, com suas rendas, seus colares, seus balangandãs, nunca estiveram tão graciosas como hoje, com os cântaros, as bilhas, os moringues, os potes de água equilibrados sobre os turbantes. Maravilha de cores, sonho de um pintor de murais, as figuras das baianas levaram em si todo o decorativo das tintas, todo o pitoresco do mundo. Flores, de vário colorio e de variadas espécies, sobravam sobre os cântaros e as mulheres. E iam os baleiros levando seus galhos de pitangueiras, e iam os jumentos com as cargas d'água, enfeitados de fitas multicores, e iam as carroças transformadas, de repente, em carros florais de primavera. Os caminhões transportavam as vassouras e a multidão seguia, ao som de alegres músicas que eram cantadas em louvor do santo da cidade. Sem dúvida, do alto da sua colina, o santo sorria ante o espetáculo da multidão fervorosa, porém alegre, religiosa, porém satisfeita, sem nada da trágica aspereza da religião daqueles que fazem da fé um inimigo do homem e da alegria. A procissão era uma festa, festa da graça popular, com flores e sorrisos, com água pura e com pura alegria.

Mas, em meio a todo este pitoresco e a esta ingênua graça, a grande vela da vitória, que o povo baiano ia depositar aos pés do Senhor do Bonfim, lembrava a guerra que pesa sobre nós e lembrava a nossa decisão de lutar. Nos comentários falava-se no santo, mas falava-se também em Hitler e em seus asseclas. Porque o povo, neste ano de 1943, foi ao Bonfim com outro motivo, além dos que o levam ali todos os anos. O povo foi pedir ao santo pelos exércitos das Nações Unidas, foi levar-lhe a vela da vitória para que as bênçãos do Senhor do Bonfim, milagroso como nenhum outro santo, desçam sobre as armas do Brasil e das nações livres. Um homem velho disse, a um repórter, que ia rezar, no adro da igreja, pelas armas russas na nave, pelas armas americanas e inglesas na África, pelas armas chinesas também. A vela da vitória foi, no dia de ontem, a grande emoção da lavagem do Bonfim.

Quando as baianas derramaram seus cântaros de água e pegaram das vassouras que levaram à igreja, os vivas ao Senhor do Bonfim se misturaram com os vivas à democracia em luta contra o germano-fascismo, aos vivas às Nações Unidas. Os vivas ao Brasil em guerra levavam até o santo os desejos do povo baiano, desejos de luta e de vitória.

Pode-se dizer, repetindo a frase de uma baiana, que Hitler e o nazifascismo são inimigos do Senhor do Bonfim. Sob o nazismo, a festa de ontem, popular e lírica, seria impossível. Sob o nazismo, apenas há lugar para os desfiles das tropas de assalto, só há voz para os vivas ao Führer, tomando o lugar dos santos. Hitler odeia tudo que lembra povo e mais odiaria, com certeza, uma festa que nasce da mistura de sangue, como a lavagem do Bonfim. Nesta festa, Hitler só veria torpeza e degradação, não enxergaria nunca, com seus olhos incapazes de enxergar a poesia, o lirismo, o pitoresco, a ingenuidade, a beleza esplêndida da procissão e da lavagem. Sob Hitler, jamais as baianas poderiam vestir seus maravilhosos vestidos. Para elas e para nós, estariam os troncos dos escravos. O altar do santo seria substituído pelos bustos torpes de Hitler e dos traidores. Jamais a procissão e a lavagem da igreja se realizariam. Jamais a poesia andaria solta pelas ruas da Bahia, nos dias como hoje. Só o luto encheria a cidade, o luto e a escravidão.

A compreensão de tudo isso resultou na vela da vitória que o povo conduziu, hoje, à igreja do Bonfim, sagrando o santo padroeiro das Nações Unidas. Autoridades e povo, jornalistas e baianas, gente religiosa e gente cética, todos se uniram hoje para, na igreja, no adro e na colina do Bonfim, dizerem do desejo de luta, para conduzirem a vela da vitória que será acesa no dia final do nazismo. Nesse dia teremos certeza de que poderão se repetir nas ruas da Bahia, na colina do Bonfim, estas festas de tanta graça e de tanto pitoresco. Poderão as baianas continuar a serem livres e a serem portadoras de poesia nas suas roupas, nas suas bilhas, nos seus rostos alegres.

"HISPANIDADE",
TRADUÇÃO MALFEITA...
16/1/1943

OS JORNAIS TRAZEM NOTÍCIA DE UMA ES-
TRANHA ENTREVISTA DO sr. Fernandes Cuesta, ex-embaixador
da Espanha, difundida pelo rádio de Madri. Nela o diplomata
franquista tenta conciliar duas coisas irremediavelmente inconci-
liáveis: o conceito democrático de "pan-americanismo" e o conceito fascista de "hispanidade".

Em verdade, se não tivesse por detrás de si a trágica sombra de
Hitler e a mesquinha marca de Mussolini, a idéia imperial de
Franco, do seu desdobramento de caudilho sobre a América, seria
apenas motivo para deboche, matéria para os humoristas nacionais, para comentários gozados nas esquinas. Porém, por detrás
do pequeno vulto espanhol, está a sombra escravizadora dos alemães e dos italianos. Daí o ridículo se transformar em trágico, o
humorístico se transformar em dramático, a pilhéria virar perigo.

Muito próximo a nós todavia está a lembrança da Espanha
traída e miseravelmente entregue ao nazifascismo. Espanha feita de dor, pisada pelas legiões sem honra do germano-fascismo,
bombardeada pelos aviões italianos, uma Espanha mártir que se
levantou sozinha contra as hordas invasoras e que, durante três
largos e inesquecíveis anos, lutou com inexcedível heroísmo, enquanto se processava a comédia da não-intervenção que iria terminar na farsa de Munique. Muito próximo a nós todavia está o
sangue espanhol, sangue do povo, de mulheres, de crianças, de
poetas, de sábios, sangue ardente e patriota, que os traidores fizeram derramar com as armas e os assassinos nazis. Muito próximo
a nós todavia está a tragédia de Espanha. É o primeiro dia desta
guerra em que estamos. A Espanha é a primeira vítima da quinta-
coluna e da agressão germano-fascista. Muito próximo a nós.

Partindo de sobre um povo oprimido, vendido e humilhado,

os falangistas* tentam dominar a América Latina para melhor a entregarem aos nazistas como lhes entregaram a própria pátria. Não é segredo para ninguém que a comédia da "hispanidade" é apenas uma máscara da infiltração nazifascista nos países latino-americanos. Falangismo é simples pseudônimo, já desmascarado, de nazismo. Nada mais que isso.

Que espécie de coisa pode, ademais, justificar a tola pretensão falangista de domínio intelectual e econômico sobre nossas pátrias americanas? O embaixador franquista fala "em conseqüências lógicas de direitos e deveres recíprocos", numa tentativa de definição de sua "hispanidade". Que deveres teremos, por acaso, nós, americanos democratas, para com o fascismo espanhol? E que direitos, por acaso, temos sobre ele? Temos deveres, sim, deveres de humanidade, para com a Espanha, a grande e imortal Espanha, a que foi traída em 1936 pela quinta-coluna e foi miseravelmente entregue aos agressores germano-fascistas. Com esta Espanha, mãe pátria das nossas irmãs de fala espanhola da América, com esta, a de García Lorca e Antonio Machado, a Espanha da grande poesia e do grande heroísmo, com esta temos ligações de inteligência e de coração. Temos mais que isto: temos uma dívida, porque, juntamente com os povos democráticos da Europa, não soubemos, no devido momento, lhe dar o auxílio necessário para que ela pudesse repelir a agressão de que foi vítima. Nós a deixamos lutar sozinha e nos contentamos com aplaudir o espetáculo de bravura e de patriotismo que ela ofereceu ao mundo. Contentamo-nos com chorar sobre o sangue dos homens derramado pelos traidores.

Agora o polvo nazista usa nas suas garras de morte a luva da "hispanidade". É sua máscara mais nova para a América Latina. Já o governo democrático do coronel Batista, em Cuba, a denunciou ao mundo. Já os povos da América gritaram contra esta for-

---

* Adeptos do partido Falange Española, fundado em 29 de outubro de 1933 por José Antonio Primo de Rivera, que pregava o patriotismo, a vida familiar, o fundamentalismo católico e o autoritarismo político. Durante a Guerra Civil Espanhola (1936-9), os falangistas lutaram contra o movimento bolchevista e se aliaram a Francisco Franco.

ça. Com que direito os que entregaram a Espanha pensam em nos amarrar ao seu carro de traição?

Então crêem os falangistas que os latino-americanos ainda são os índios do tempo da conquista que necessitam do domínio colonial, que não têm capacidade de se governar por si mesmos? Chega a ser insultante para o nosso sentimento americano de dignidade, este propósito falangista de nos governar.

Nós, americanos, criamos, nos dias de provação, o conceito democrático e continental de "pan-americanismo". O pan-americanismo está em luta contra o nazifascismo porque deseja a independência dos povos da América e do mundo. O falangismo — do qual a "hispanidade" é uma tradução malfeita — está aliado ao nazifascismo para escravizar as nações todas do mundo, inclusive as americanas. São conceitos irreconciliáveis, e entre os dois o Brasil já optou pelo primeiro, pela liberdade e pela dignidade das pátrias e dos homens. O segundo pode se traduzir por escravidão e quinta-colunismo. Esta é a verdade nua que precisa ser dita.

ÓDIO

19/1/1943

QUE OUTRO SENTIMENTO PODE GUARDAR UM CORAÇÃO, MESMO QUE seja o teu doce coração de mulher, em relação aos assassinos nazis, senão o de um profundo e duradouro ódio? Um dia, nos dias de paz e de idílio, tu aprendeste que só o amor constrói na face do mundo. Teus olhos se voltavam para os homens e para os fatos cheios de infinita compreensão, e tuas mãos guardavam gestos de amizade para todos os humanos.

Ah!, te direi hoje outra verdade nesta hora de guerra: quando os assassinos se soltarem sobre o mundo, em relação a eles, só o ódio é construtivo. Nunca quiseste que uma parcela sequer de ódio morasse em teu coração de mulher. E hoje, eu te digo que é necessário encher teu coração do mais profundo ódio daquele que exige a vingança imediata, porque, neste momento, só o ódio aos nazis é criador e capaz de alimentar o nosso amor pelos demais homens. Aí estão as criancinhas alegres, brincando seus brinquedos ingênuos, aí estão as moças com seus namorados nas tardes românticas, aí estão as amadas com seus amados nas noites de amor, aí estão as mãos desveladas por seus filhos, aí estão os homens no seu trabalho. Quem não os ama, a toda esta humanidade? Mas, ah!, aí estão também os assassinos nazis. Estão roubando, matando, incendiando, escravizando os homens e as pátrias. É necessário odiá-los com um ódio de morte, porque somente assim poderemos provar nosso amor a toda a humanidade.

Vou te contar uma história triste, para que pese sobre teu coração o sentimento do ódio, o desejo de vingança. Na Polônia também sorriam as criancinhas inocentes, também em idílios românticos namoravam as moças, também os homens e as mulheres se amavam. Mas os assassinos chegaram e trouxeram com eles a noite de terror. Jamais a lua brilhou sobre as noites de Varsóvia, jamais outros sentimentos que não o medo e o desejo de vingança habitaram os corações poloneses. Medo em todos os olhos inocentes dos meninos, vingança em todos os corações ardentes dos homens e das mulheres. Nasceram os guerrilheiros poloneses, irmãos daqueles outros guerrilheiros, os russos, terror das hordas assassinas. Medo, ódio e vingança. Nenhum outro sentimento nos corações dos filhos da Polônia mártir.

Numa faixa de cem quilômetros, na Silésia, os nazistas evacuaram todos os poloneses. E a maneira mais simples de evacuá-los, que eles encontraram, foi assassinando-os a todos. Numa só povoação, 1700 pessoas foram mortas, de uma vez. Após a destruição de Lídice, a cidade tcheca, parecia impossível que os nazis atingissem maior perfeição em matéria de assassinato. Eles acabaram de provar que ainda são capazes de mais. Numa só aldeia matam a 1700 pessoas. Seus instintos de bestas não pararam de evoluir ainda. No mesmo dia, mais de mil pessoas foram presas em Varsóvia. No dia 15 de janeiro. Noutras cidades, outros milhares de homens e mulheres foram conhecer as maravilhas da Gestapo. Toda esta população foi dividida em três grupos: primeiro, as crianças até seis anos de idade, que foram enviadas para as escolas de monstros que são as escolas nazistas da Alemanha. Os nazis querem educar estas crianças para assassinos. Por isto, as arrancam dos braços das mães e as enviam para suas escolas de crime. O segundo grupo era formado por inválidos, anciães e mulheres. Deste grupo, algumas mulheres, as mais belas, foram retiradas para servir de pasto aos instintos das tropas alemãs. As demais foram mortas, mortos também parte dos anciães e dos inválidos, os demais enviados para os campos de concentração. O terceiro grupo era de homens e foram todos mortos. Agora esta zona, livre de poloneses vingadores, será povoada pelos alemães. Esta, a última obra realizada pelos nazis na Polônia. Que outra coisa, senão o ódio, pode encher nosso coração ante estas notícias? Mães a quem arrancaram os filhos para as escolas de crime nazistas, a quem arrancaram os pais para os campos de concentração, a quem arrancaram os maridos para os pelotões de fuzilamento, mães a quem vão levar para os prostíbulos! Ódio,

ódio profundo e duradouro! Ódio que nos leve a querer eliminar os nazis todos, um por um.

Agora te direi uma notícia boa: em toda esta zona, onde tanto sangue inocente acaba de correr, onde tanta lágrima de mulher foi chorada, os alemães estão construindo uma muralha de defesa. É que as tropas libertadoras do exército soviético se aproximam cada dia mais da fronteira da Polônia. Os nazis tremem de medo, constroem muralhas defensivas e no seu terror assassinam as populações. Que o ódio encha teu coração!

Ódio aos monstros criminosos e às bestas assassinas. Amanhã chegarão os russos junto às muralhas construídas sobre o sangue polonês, as muralhas serão derrubadas, e a Polônia será vingada. Não restará nazista sobre a face da Polônia mártir. Então, e somente então, amiga, podes encher teu coração de outro sentimento que não seja o do ódio, ódio total e profundo, pelos criminosos de todos os crimes, os mais revoltantes e abjetos que o mundo assistiu. Ódio, amiga, ódio e mais ódio aos assassinos, ódio até que o último deles seja exterminado e até a lembrança da sua nefanda memória haja desaparecido!

UNIDADE CONTINENTAL DAS AMÉRICAS
23/1/1943

O ROMPIMENTO DO CHILE COM AS NAÇÕES AGRESSORAS DO EIXO VEM FORTALECER A unidade continental das Américas, elemento indispensável para a vitória final. Agora, apenas um país ainda não atendeu aos apelos do seu povo e conserva ligações diplomáticas e comerciais com a Alemanha nazista, a Itália fascista e o Japão criminoso.

No entanto, é de esperar que a Argentina não tarde a seguir o exemplo dos demais governos americanos e ouça os pedidos do seu povo, povo de ampla e nunca duvidada tradição democrática. Estas esperanças não se baseiam apenas em desejos nossos. As notícias vindas de Buenos Aires nos dão conta de que os partidos democráticos do país vizinho se unem numa frente ampla contra o nipo-nazifacismo. Se esta união nacional do povo argentino se concretizar, sem dúvida levará o grande país dos pampas ao rompimento com as nações do Eixo, a uma colaboração mais ativa para a unidade continental.

A unidade continental não será possível se em cada país não se concretizar a união nacional. Uma resulta da outra. Só foi possível o rompimento do Chile com os criminosos governos agressores porque o povo, as correntes de opinião, os partidos políticos, todos os patriotas chilenos, se juntaram para fortalecer e prestigiar o governo de Ríos. A unidade nacional chilena levou o país ao rompimento de relações e há de levá-lo, assim o esperamos, a passos ainda mais decisivos. É claro que vozes se levantaram contra o rompimento, que homens vestidos de democratas mas realmente nazis procuraram evitar que o Chile tomasse uma posição igual à dos seus irmãos da América. Mas não é surpresa para ninguém a força da quinta-coluna em todos os países americanos. No Chile, ao sul, a colônia alemã era forte e o Partido Nazista (o integralismo de lá) possuía na Câmara um deputado que ostentava no nome um "von" muito ariano e muito traidor. A força da quinta-coluna, os embaraços de toda espécie que ela coloca à concretização da unidade nacional em cada país, os entraves que ela opõe à maior aproximação e mais cooperação entre as nações americanas, não são novidades para nós. Aqui, no Brasil, assistimos ontem e ainda estamos assistindo hoje ao trabalho dos vendedores da pátria. Vemos como eles movem uma sistemática e tremenda campanha contra os demais países americanos. Durante muito tempo, seu slogan preferido foi o da guerra contra a Argentina. Melhor presente para Hitler não poderia haver neste momento em que os exércitos germano-fascistas fogem, vergonhosamente, na neve da Rússia, que a abertura de uma frente americana, na qual se dispersassem as forças de países irmãos, forças que devem estar congregadas na defesa da independência das pátrias da América.

Esta campanha não teve a repercussão que a quinta-coluna esperava. O povo brasileiro compreendeu perfeitamente que o povo argentino estava ao seu lado. E os traidores voltaram então a colocar seus entraves à realização da unidade nacional. Sabem eles que sabotando a unidade nacional estão sabotando a unidade continental e, por conseqüência, o fortalecimento da frente da vitória das Nações Unidas. A nossa união americana concorre grandemente para a aliança dos países livres. Mas, a base de toda esta aliança pela vitória é a união nacional em cada país.

Quando, no Chile, foi lançada a candidatura de Ríos à presidência da República, os partidos democráticos se dividiram. Mais dois candidatos surgiram saídos destes partidos. A quinta-coluna levantou a candidatura do ex-ditador Ibáñez. Os partidos democráticos propuseram então a unidade de todas as forças antifascistas para, assim unidas, derrotarem Ibáñez que representava a política de pseudoneutralidade e de eficaz e real ajuda ao nazismo. Ríos foi eleito e os partidos congregados em torno dele mais ainda se uniram para conseguir o rompimento com o Eixo. Conservadores, radicais, socialistas, homens de centro e da esquerda, fizeram um bloco só que conseguiu levar o Chile, apesar da pressão exterior em contra, apesar das cínicas ameaças japonesas e alemãs, ao rompimento de relações com os agressores, à completa identificação do grande país do Pacífico na unidade continental das Américas.

Esta lição do Chile é uma lição de unidade nacional. Este foi e é ainda o nosso primeiro problema, o nosso primeiro dever. Unidade de todos os brasileiros patriotas, congregados em torno ao esforço de guerra do governo, para assim podermos levar o Brasil aos campos de guerra da segunda frente* que se aproxima. A quinta-coluna está lutando uma batalha violenta para conseguir que a nossa participação na guerra seja puramente simbólica ou, quando muito, apenas defensiva. Tenta jogar sobre nós a pecha de covardes e de incapazes de contribuir para a nossa própria independência. Tenta nos afastar dos campos de batalha, tenta nos colocar numa posição secundária e falsa. Só a unidade nacional, a reunião de todas as nossas forças, a colaboração decidida com a política de guerra do governo, nos fará ganhar esta batalha contra a quinta-coluna. Só assim amanhã, junto às forças dos países americanos em guerra, estarão os soldados brasileiros. Porque a unidade nacional é fator primordial para a unidade continental.

---

* Desde que as tropas alemãs entraram na União Soviética, em 1941, Stálin pleiteava junto aos aliados a criação de uma segunda frente, que chegasse da Europa Ocidental. A decisão foi adiada pelo presidente dos Estados Unidos, Franklin D. Roosevelt, e pelo primeiro-ministro britânico, Winston Churchill, até 1944. Com o desembarque na Normandia, no "dia D", abriu-se finalmente a possibilidade de essa frente ocidental avançar rumo aos territórios ocupados pelos alemães.

ATÉ A RENDIÇÃO INCONDICIONAL
28/1/1943

ROOSEVELT, LÍDER NACIONAL DOS ESTA-DOS UNIDOS, EM TORNO DE QUEM se processou a unidade nacional da grande nação do norte, e Churchill, chefe do governo inglês de guerra, governo que reúne o apoio de todas as classes e todos os partidos da Inglaterra, se encontraram em Casablanca e, durante dez dias, discutiram os problemas da luta contra o Eixo. Foi impossível o comparecimento de Stálin, o chefe russo, impossibilitado de se afastar da frente leste, onde seu povo derrota o invasor nazi, foi impossível o comparecimento de Chiang Kai-shek, o generalíssimo da China, cujos exércitos unidos derrotam o invasor japonês.

Porém estes dois chefes aliados estiveram, diariamente, a par das discussões e das decisões tomadas. Estas foram da maior importância.

Sem falar na união dos franceses combatentes resultantes das conferências laterais de De Gaulle e de Giraud, união que, por si só, representa um fortalecimento político das forças aliadas, as demais decisões são da maior seriedade.

Não deve ter escapado ao povo, que a Alemanha e seus aliados preparavam uma ofensiva de paz, ofensiva que se anunciava como a maior desencadeada pelo germano-fascismo desde o início da guerra. A derrota das forças hitleristas nas frentes de Stalingrado (220 mil alemães fora de combate... Que maravilha!) e de Leningrado, marcou a primeira etapa decisiva da derrota de Hitler, Mussolini e Hirohito.

Os dias trágicos, para os criminosos que tentaram escravizar o mundo, começaram com a batalha de Stalingrado,* a marcar

---

* Em 17 de julho de 1942, tropas alemãs lideradas pelo general Von Paulus iniciaram uma ofensiva as folhas dos calendários na Alemanha, na Itália e no Japão. Antes, o povo alemão só ouviu notícias, verdadeiras ou falsas, de vitórias imensas. Primeiro, quando, com a ajuda dos traidores quinta-colunistas, os exércitos vandálicos do nazismo apunhalaram as nações livres da Europa e as conquistaram. Depois, quando nos embates da Rússia, eles tiveram que parar seu ímpeto ofensivo, ainda assim mantiveram o povo alemão sob uma onda de mentirosas notícias, de êxitos grandiosos. Sempre falaram em vitória.

O triste canto do dr. Goebbels sempre foi, em todos os momentos, um canto arrogante, de quem tinha o triunfo na mão. À base da promessa de uma vitória certa é que Hitler pedia maiores sacrifícios à frente interna alemã. De repente, após o fracasso em Stalingrado, após a derrota em Leningrado, após a corrida em toda a frente russa, os alemães mudaram rapidamente de técnica na sua propaganda interna. Os hinos marciais foram substituídos pelas marchas fúnebres. Wagner cedeu seu lugar a Chopin nos programas musicais da rádio de Berlim. As notícias irradiadas foram alarmantes: o exército alemão, na frente leste, estava em inferioridade numérica e de armamentos. A derrota em Stalingrado era uma coisa sem precedentes. A situação da Alemanha era pior que em 1918. Tudo isto, por mais incrível que pareça, foi transmitido para o povo alemão pelas rádios alemãs. Por outro lado, nas irradiações para o estrangeiro, Hitler, com voz de choro, tentou levantar o mais desmoralizado dos seus desmoralizados truques: mais uma vez falou no perigo bolchevista sobre o mundo, preparando um pedido de paz à Inglaterra e aos Estados Unidos. Ninguém se enganou com o soluçar repentino dos chefes nazis... Todos compreenderam que, mais uma vez, ele ia tentar repetir a sua política de dividir as forças democráticas do mundo. Possivelmente também proporia a paz à União Soviética

---

para tomar Stalingrado. Conseguiram conquistar três quartos da cidade, porém a chegada do invasor e a contra-ofensiva soviética, sob as ordens do general Zukov, acabaram revertendo a situação e levando à maior derrota militar da Alemanha na Segunda Guerra Mundial, em janeiro de 1943.

para poder continuar a guerra contra a Inglaterra e os Estados Unidos. Naturalmente falaria então no perigo dos imperialismos... Certamente proporia a paz aos Estados Unidos e à Inglaterra e falaria nos perigos do comunismo...

O lobo das histórias infantis quis, numa última tentativa, vestir novamente a pele de carneiro. Mas todos os povos do mundo sabem — e aprenderam esta lição pagando um preço infinitamente caro — que o perigo, o grande, verdadeiro e único perigo, que se estende sobre o universo é o nipo-nazifascismo assassino e agressor. Antes mesmo que o lobo pudesse enfiar a pele do carneiro da paz, as mãos fortes de Roosevelt e de Churchill arrancaram-lhe a fantasia. A esperança de uma paz em separado que Hitler, Mussolini e Hirohito pudessem alimentar nos seus dias anunciadores da derrota, vem de se finar na Conferência de Casablanca.

Roosevelt e Churchill, no comunicado que assinaram conjuntamente, não só falam dos planos para uma guerra vitoriosa "em todas as frentes" em 1943, como declaram sua decisão de que a guerra só terminará com a "incondicional rendição da Alemanha, da Itália e do Japão". Foram-se, para os assassinos, as últimas esperanças. Agora, após a conferência histórica do Norte da África, resta-lhes apenas esperar o dia da vingança dos povos. Parece-nos já ouvir os sons dos hinos da vitória, sucedendo ao passo dos soldados que saltam de trampolim da África para libertar a Europa.

CARTA DO MARINHEIRO
A IEMANJÁ
3/2/1943

Bahia, 2 de fevereiro

DONA JANAÍNA...

NESTA TUA FESTA DO RIO VERMELHO EU NADA TE TRAGO SENÃO A LEMBRANÇA do meu navio. Íamos pelo mar, Inaê, era de noite, nunca tínhamos feito mal a ninguém. Íamos pelo mar e, ao leme, um marinheiro cantava as tuas canções, lembrando outras festas na Bahia. Bem sabíamos, rainha do mar, que, em outros mares, navios tripulados por feras se emboscavam na noite para levarem a morte aos marinheiros tranqüilos.

Mas, era em outros mares e nós não estávamos em guerra, não havíamos ofendido a ninguém, íamos pacificamente no nosso navio conduzindo mercadorias e passageiros de um porto para outro. E as feras chegaram, nos seus navios assassinos, e do meu barco, Iemanjá, resta apenas a lembrança dos que morreram, e foram muitos!

Tu és mãe dos marítimos, nós te fazemos festa, te trazemos presentes, te pedimos proteção. Hoje, Janaína, nós só te pedimos vingança. Não são apenas os nossos que morreram. Falo por eles, estes marítimos dos navios de paz que singravam um mar de confianças e encontraram a morte na traição, mas falo também por todos os marinheiros livres do mundo, que estão morrendo na mão das feras que até o mar invadiram.

Mãe Janaína, eles querem não só escravizar os países, como querem também escravizar o mar, o teu mar de canções, o teu mar de festas, o teu mar de navios cargueiros, de saveiros e canoas.

Eu te falo em nome de marinheiros de todas as raças, de todas as cores, de todos os países. Em nome deles é que venho aqui e te trago, junto com a lembrança do meu navio perdido, um ramo de flores, azuis e brancas, para juntar ao presente tão lindo que os pescadores te levam. Venho pelos marinheiros franceses de Toulon, heróis de impávida bravura, os que afundaram seus navios para que os miseráveis nazistas não pusessem mão neles. Venho pelos marinheiros da Inglaterra, que, nos seus barcos de guerra, policiam os mares do mundo contra os piratas traidores. Venho em nome dos marinheiros russos, os que tombaram em Sebastopol e os que garantem o mar Negro. Estes marinheiros que, junto aos soldados e aos aviadores, derrotam os assassinos e vingam a humanidade. Venho em nome dos marinheiros da Norte-América, estes que nos ajudam na tarefa de afastar os bandidos da nossa costa. Venho em nome dos marinheiros da Austrália, dos da África do Sul, dos marinheiros chineses que transformam os juncos em navios de guerra. Mãe Janaína, venho em nome de todos eles. Trago a lembrança do meu navio naufragado, a lembrança das mulheres mortas no mar, das crianças inocentes boiando sem vida sobre as ondas, dos marinheiros assassinados, e trago flores, em nome dos marítimos do mundo livre. Os de Marselha que levantam barricadas no porto, os da Grécia que tanto resistiram, os do Brasil que estão prontos, Inaê, para vingança.

Na mão traiçoeira dos assassinos, na noite de submarinos e de torpedos, os teus filhos morrem, Iemanjá. Se os nazistas chegassem a dominar os mares, tuas festas de tanta graça seriam extintas, teus nomes que são cinco seriam esquecidos, tua lenda que enche de saudade nossas noites de mar seria substituída pela história perversa de criminosos sem alma. Se eles chegassem a dominar os oceanos jamais poderiam ver marinheiros e baianas, trazer-te flores azuis e brancas na manhã de fevereiro. Jamais, Iemanjá, a poesia poderia se derramar sobre os homens do mar, nos dias de festas ingênuas. Jamais, porque eles são contra a poesia.

Os teus filhos, marítimos de todo o mundo, morrem na traição dos submarinos, Inaê. Eu te trago flores na mão, nos olhos a lembrança do meu navio torpedeado. Teus filhos morreram, o fogo das metralhadoras cortou os corpos sobre o mar. Eu te peço vingança, rainha do mar.

Que se terminem todos, todos os navios nazistas, fascistas e japoneses que desonram as leis do mar e assassinam os marinheiros. Que se acabem todos, um por um. Que o fogo purificador dos navios de guerra das nações livres liberte os mares de todos os bandidos que nele se soltaram. Que as tempestades os engulam nas tuas noites de fúria, Iemanjá. Que os ventos bonançosos soprem somente para os barcos aliados. Que morram todos, um por um, os que não se envergonham de vestir, no bojo dos navios, a camisa cáqui ou negra, verde ou de que cor seja, da traição e da covardia. Que morram todos um por um.

Eis o que te peço, Iemanjá, nesta manhã da tua festa. Morte para os que mataram teus filhos. Tempestades, furacões e metralha sobre eles. Que morram um por um e então poderemos vir de todas as partes do mundo, cantando cantos de diversas pátrias trazer, para teu mar tranqüilo, as tuas flores azuis e brancas. Depois que eles todos tiverem morrido, um por um. Então viremos e te louvaremos, Inaê, Iemanjá, Janaína, rainha do mar, princesa do Aiocá, dona dos mares, dos navios e marinheiros.

Só te trago uma lembrança, como presente, só te peço também uma coisa: vingança. Teus filhos, Inaê, estão prontos para a luta. Os assassinos morrerão, um por um.

SOLIDÁRIOS COM
A VOSSA DOR?...
4/2/1943

NÃO HÁ BRASILEIRO HUMANO E PATRIOTA QUE NÃO SE SINTA SOLIDÁRIO COM O DIA DE LUTO dos israelitas do Brasil. Hoje, todos os que têm sangue judio nas suas veias, dedicarão as horas a recordar e a honrar os que tombaram sob o gume do machado nazista ou que perecem na morte lenta dos campos de concentração. Estamos solidários com a vossa dor, israelitas, nós que jamais levantamos o problema cretino de raças, nós, os brasileiros que abrimos as portas do nosso país a todos aqueles que queiram nos trazer a cooperação do seu trabalho.

Um dia, também aqui, os servos de Berlim, aqueles que num triste carnaval se fantasiaram de verde, também aqui eles quiseram levantar o problema do anti-semitismo. Mas não encontraram propício campo para sua triste e desumana teoria das raças superiores e inferiores. Nosso país vem de fusão de raças e não poderia jamais aceitar os postulados do "arianismo", com os quais Hitler pretende se assenhorar do mundo. Aqui sois iguais a todos nós, e juntos marchamos para os caminhos do progresso, como juntos estamos neste momento, de armas em punho, prontos para as batalhas nos campos dos outros continentes.

Mais que nenhum outro povo, o vosso tem sofrido. Sobre ele a fúria criminosa do nazismo se desempenhou na manhã de ódio que foi a tomada do poder por Hitler. Desde 1939 que o mundo, de armas na mão, luta contra a bestialidade desencadeada. Mas, vós, judeus, sofreis e lutais há já dez anos, desde aquele trágico dia de 1933, quando Hitler iniciou, nos tempos de hoje, novas noites de São Bartolomeu. Hitler é a Idade Média revivida, e, sobre vós, que amais a ciência e o progresso, que sois portadores de tantos nomes de sábios, o ódio se fez sentir intenso e brutal.

Vossos sábios, que haviam levantado tão alto o nome da ciência alemã, tiveram que fugir. Vossos escritores tomaram o caminho do desterro e, se entre os sábios ia um Einstein, entre os escritores iam um Feuchtwanger, um Zweig, um Ludwig. E se um Freud, venerando e ilustre, morreu no exílio, protestando em nome da ciência contra o nazismo, em nome da literatura morreu um Joseph Roth. Vosso tributo de sangue tem sido grande e ilustre. Nomes que não eram mais vossos, não eram mais de uma só pátria, porque já eram de toda a humanidade, foram sacrificados à bestialidade nazi. Não foram só sábios e escritores do vosso sangue que conheceram os caminhos do exílio ou viram chegar seu último momento. Sábios e escritores de outras muitas raças pagam, com seu sangue, o ódio que o nazismo tem à cultura. Porém o vosso tributo não foi somente de escritores, sábios e políticos. Todos os vossos que se encontravam na Alemanha e nos países saqueados sofreram e sofrem as maiores injúrias, as maiores torturas, os roubos, os programas, os campos de concentração, os machados da decapitação. Hitler revive a Idade Média e com ele uma nova Inquisição, a do bem contra o mal, a da escravidão contra a liberdade, a da ferocidade contra o direito, a da arbitrariedade contra a justiça, surgiu na Alemanha e nos países invadidos. É a lei do machado e do campo de concentração. É a lei do fuzilamento em massa, da desonra das mulheres como esporte ariano, do assassinato de crianças e velhos como diversão predileta. Desonra da humanidade, os nazistas perderam a sua qualidade de ser humano. São apenas monstros que procuram adaptar os tempos de hoje aos seus moldes de vida.

E, sobre o vosso sangue se lançaram ávidos. Queriam dinheiro e tomaram o vosso dinheiro. Queriam matar e mataram os vossos irmãos. Queriam saquear e saquearam as vossas casas. Queriam torturar e torturaram vossos filhos e vossas mulheres. Tinham sede de sangue, beberam vosso sangue. Hoje é vosso dia de luto e todos os brasileiros, de qualquer ascendência racial, se sentem solidários convosco.

Nos campos de batalha da Europa, os judeus lutam. Ainda não há muito, a voz dos israelitas clamou para o mundo dizendo que, nos exércitos da liberdade, em todas as frentes, os judeus são soldados e oficiais. Também no Brasil, onde os brasileiros de sangue semita, formam ao lado dos brancos, dos negros e dos mulatos que vingarão não só os mortos dos torpedeamentos como todas as demais vítimas do germano-fascismo.

Nesse vosso dia de luto, estamos solidários convosco. Certos de que não ireis apenas chorar a memória dos que morreram, lamentar a sorte dos que vivem a desgraçada vida dos campos de concentração.

Certos de que, no vosso dia de luto, jurareis vingança, jurareis cooperar com todas as vossas forças para o completo aniquilamento do monstro nazista. Certos de que o ódio substituirá a dor nos vossos corações enlutados.

COMÉDIA DAS TRAIÇÕES
14/2/1943

PEÇA TRAGICÔMICA, EM CINCO ATOS RÁPIDOS, COMO COMPETE A LIGEIROS escroques integralistas, onde surgem vigaristas, traidores, cretinos, assassinos, nazistas, fascistas, integralistas e sujeitos com todas estas qualidades reunidas.

CENA PRIMEIRA

A cena representa uma farmácia do interior. Em cena o farmacêutico, um cliente e um louco.

O FARMACÊUTICO (*bocejando*) — Ah! Ah!

O cliente tosse.

O louco se levanta de súbito, os olhos acesos, as mãos tremendo, e grita:

— Eureca! Eureca!

O farmacêutico não dá atenção. O cliente, porém, que não conhece Plínio, então chamado Plínio Rolinha, lhe dá atenção:

CLIENTE: — Que é, senhor?

LOUCO: — Descobri, descobri.

CLIENTE: — O quê?

LOUCO: — Um xarope para resfriado...

CLIENTE: — Compro um frasco...

O farmacêutico faz sinais dizendo que Plínio é louco. O cliente não vê, compra o xarope, paga adiantado, bebe, morre em seguida. O louco sai com o dinheiro e compra uma passagem para São Paulo.

Foi assim que começou a vida ativa de Plínio Tômbola Salgado.

CENA SEGUNDA

Na Câmara dos Deputados de São Paulo, Plínio vestido de capacho, com a libré de criado do PRP,* fala na tribuna.

---

* Partido Republicano Paulista, pelo qual Plínio Salgado se elegeu deputado estadual em 1928.

PLÍNIO: — Senhores deputados, sou liberal, sou democrata, sou republicano, sou perrepista. Viva o dr. Júlio Prestes! Quem falar mal da democracia briga comigo...

Os deputados bocejam. Os mais velhos dormem. À noite, Plínio dá uma facada modesta num prócer do PRP e publica um poema ruim.

CENA TERCEIRA

A cena representa uma sessão do Congresso revolucionário reunido no Palácio Tiradentes, após 30. Na tribuna está Plínio.

PLÍNIO: — Sou anarquista! Sou socialista cor de ouro! Sou terrível! Vou jogar bombas!

Ninguém dá importância. Plínio tenta uma facada, mas ninguém lhe empresta dinheiro.

CENA QUARTA

PLÍNIO (*só, triste, pensa*): — Ninguém quer me comprar. Que fazer? Que fazer? Oh! Eu quero me vender! Urgentemente!

CENA QUINTA

Ato mudo.

Plínio, com u'a máscara, foge com a caixa de uma loteria da qual fizeram-no tesoureiro. Desde então ficou conhecido como Plínio Tômbola.

CENA SEXTA

Plínio está vestido de camisa verde. Nesta cena aparecem os anunciados vigaristas, traidores, cretinos, assassinos. Formam a massa que rodeia Plínio. A cena representa a praça da Sé, de São Paulo.

PLÍNIO (*falando*): — Viva eu! Anauê, Zé bedeu. Viva eu, viva Adolfo, viva Musso! Viva a burrice em geral, viva Gustavo Garapinha, meu secretário! Anauê!

OS VIGARISTAS, ESCROQUES ETC.: — Viva, Vivôô...

O povo invade o Carnaval, Plínio se esconde sob as banhas de Gustavo e renega o que disse.

CENA SÉTIMA

Plínio, na delegacia, depõe sobre a intentona de maio de 38.*

PLÍNIO (*depondo*): — Senhor delegado, juro que não sabia! Tudo isso foi feito pelo Valverde contra minhas ordens. E quem recebeu o dinheiro do Banco Germânico foi Gustavinho von Garapa... Eu juro que sou inocente...

CENA OITAVA

Plínio, de Portugal, escreve a seus patrícios.

PLÍNIO (*lendo a carta*): — Meus filhos, burros, cretinos, ladrões, assassinos, traiam a pátria, assassinem os brasileiros, desertem, façam intentonas, sejam fiéis a Adolf, que é nosso pai, e a Musso, que é nossa mãe...

Pára de ler, reflete:

— Falta alguma coisa... (*pensa*)

— Achei! Achei! (*escreve*) Digam que quem for pela guerra, pela unidade, pela pátria, é comunista. (*Assina a carta, tenta dar depois uma facada de oito escudos no português do elevador. Fracassa.*)

CENA NONA

As democracias venceram a guerra. Plínio, sem camisa, sem calças, grita para o povo que ri dele:

— Sou democrata! Sou liberal! Sou perrepista! Viva Roosevelt e viva Churchill!

Um tomate tapa a boca de Plínio. Nunca mais ninguém soube dele.

---

* Liderados pelos integralistas, opositores de Getúlio Vargas pretendiam invadir o Palácio Guanabara e matar o presidente, que fechara os partidos políticos após a instauração do Estado Novo. A polícia e o exército chegaram a tempo de impedir.

A FRANÇA DOS
GRANDES GESTOS
18/2/1943

AOS PORTOS NORTE-AMERICANOS VÊM DE CHEGAR OS NAVIOS DE GUERRA FRANCESES, antes ancorados no cais de Dacar. Atravessaram por um mar de tempestades e de submarinos e venceram as tempestades e os submarinos. Vieram para se colocar no serviço ativo da guerra, ao lado das democracias, marinheiros da França aliada. Bem dignos irmãos daqueles outros que preferiram, no porto de Toulon, afundar seus navios a ter que vê-los servindo aos nazistas inimigos do mundo.

Nesta guerra, os marinheiros da França têm vivido um tempo de extraordinário heroísmo. O derrotismo que a quinta-coluna espalhou sobre o exército francês não chegou a atingir os marinheiros. Se Darlan foi colaboracionista,* a honra da marinha francesa foi lavada pelos homens de Toulon, e mais uma vez, hoje, a bandeira tricolor tremula sobre os mares do mundo, numa renovação de toda a grandeza da França imortal. Para nós, latinos, para nós, brasileiros, esta presença da França nos campos de batalha e nos mares da guerra tem uma significação toda especial pois a ela estamos ligados pelos mais ardentes laços de sentimento e de cultura. Dela vieram os livros e os fatos que encheram a nossa vida literária e a nossa vida política. Nos seus grandes feitos beberam inspiração os heróis do nosso passado. A Inconfidência Mineira nasce da Revolução Francesa, Castro Alves tem profundas ligações com Victor Hugo. Reencontramos a França, a ardente França, mãe da liberdade, a França dos grandes gestos heróicos, aquela cuja queda nos feriu tão profundamente o coração.

---

* Em Vichy, na França, uma tropa comandada por Pierre Laval e Jean François Darlan colaborava com os países do Eixo. O almirante Darlan esteve ligado aos nazistas até 1942, quando rompeu com Vichy e deu sinais de querer se unir aos aliados. Poucas semanas depois foi assassinado por um partidário de Charles de Gaulle.

Não é a primeira vez que a reencontramos nesta guerra. Primeiro foi De Gaulle, fiel à bandeira do seu exército, que não era o dos traidores. Depois foram os civis nas ruas de Paris, matando alemães na calada da noite, tornando impossível o sono dos conquistadores, tornando impossível a tranqüila vida que os novos átilas esperavam poder levar naquela que, tenha sido cidade da arte, se tornou bastião da dignidade ultrajada. Depois foram os marítimos e o povo de Marselha, barricadas na rua, bandeiras desfraldadas, em pé contra os assassinos. E foram os reféns, sacrificados sem culpas pelos nazis, arrancados dos lares, do trabalho, para o muro dos fuzilamentos. E todos souberam morrer com um "Viva a França". Por fim, os marinheiros de Toulon, a honra por sobre tudo, a liberdade surgindo radiosa dos navios que eles afundavam para que não servissem de arma contra ela.

Agora o *Richelieu* e mais dois vasos de guerra franceses chegam aos portos norte-americanos. Uma vez, La Fayette embarcou também para os Estados Unidos e veio lutar em terras estrangeiras pela liberdade dos povos e pela independência das pátrias. Também naquele momento o povo francês sofria os horrores da fome e da miséria, da tirania e da desgraça, e também então de tudo se libertou para a mais radiosa das auroras, para destruir a Bastilha, para que contra o seu peito se rompessem as forças escravocratas.

Hoje, mais uma vez, a fome, a miséria, a dor e a escravidão, pesam sobre a França. Mais uma vez seus filhos atravessam os mares para lutar pela liberdade. Mas, do porto de Nova York, eles enxergam a manhã livre que começa a se levantar sobre o mundo. Kharkov já caiu, Orel cairá por estes dias. A luta na África se intensifica. A campanha anti-submarina limpa os oceanos. O niponazifacismo inicia sua agonia. Os marinheiros franceses vão dar seu sangue e suas vidas, seus navios e seu heroísmo, pela vitória da liberdade. Vitória que é também a vitória da França, da nossa França, a imortal França de 1789, aquela que entregou a liberdade aos homens como presente de mãe amantíssima.

PÉTAIN, O TRISTE EXEMPLO
21/2/1943

OS BONS PATRIOTAS FRANCESES, QUE, NEM MESMO NESTES DRAMÁTICOS MOMENTOS, perdem o seu poder de sátira e ironia, fazem um trocadilho com o nome de Pétain. A substituição de uma vogal adjetiva, com um sujo e justo adjetivo, o nome do velho quinta-coluna.* Mas a verdade obriga a confessar que não se faz necessário o trocadilho para que o nome de Pétain seja sujo como um palavrão de canto de rua, seja lodo de sarjetas escusas, seja impróprio para ser pronunciado por bocas femininas e juvenis, acostumadas às palavras sãs. Pétain é hoje sinônimo de traição e de vileza, de humilhação do homem e de indignidade da velhice. Alguns perguntam: está apenas caduco ou será assim tão tristemente sórdido? A caduquice é mais u'a máscara deste velho que envergonha os anciãos do mundo, que mancha a farda de um dos mais gloriosos exércitos de todos os tempos, que pretende amarrar ao seu carro de desonra a grande França imortal. Triste exemplo de indignidade, melancólica velhice de um homem, repugnante fim de vida.

Existe outro velho, quase um ancião também, um brasileiro que ama a França como a sua segunda pátria, tendo muito de francês, tendo muito de universal. Chama-se Luiz de Souza Dantas e é embaixador do Brasil na França, cargo que exerceu durante muitos e muitos anos e que honrou sobremaneira. Este ancião ilustre, honra da diplomacia brasileira, foi entregue pela imunda velhice de Pétain aos assassinos nazis e sofre hoje, com 26 auxiliares seus, funcionários nossos na embaixada e nos consulados brasileiros na França, as torturas do campo de concentração de Bad Godesberg, em Bonn.

Luiz de Souza Dantas era o mais conhecido e estimado embai-

---

* Trocadilho com *pétant*, algo como "peidorreiro", em francês.

xador estrangeiro em Paris. O povo francês acostumou-se com esse homem fino, de grande cultura, de sadio humanismo, figura inconfundível, que prestigiou de u'a maneira enorme o nome do Brasil naquela que era a capital da Europa. Todos os brasileiros que passaram pela França nestes últimos anos são unânimes em elogiar, sem restrições, a atuação de Souza Dantas. Seu prestígio era imenso, o Brasil, pelo destaque do seu embaixador, era colocado ao lado das potências mais poderosas e mais ricas. Pertence Luiz de Souza Dantas a uma geração de diplomatas que produziu um Rio Branco, um Oliveira Lima, um Nabuco, um Rodrigo Otávio. É um daqueles homens que fizeram a fama do Itamaraty em todo o mundo civilizado. Um ancião ilustre, uma figura de inconfundível dignidade.

Os alemães nazis invadiram a embaixada do Brasil, nação que lidera, com os Estados Unidos, a Inglaterra, a União Soviética e a China, as Nações Unidas. Queriam vasculhar nossos arquivos, enxovalhar os nossos representantes. Souza Dantas opôs aos bárbaros a sua dignidade de ancião ilustre, filho de um país livre, representante de um povo amante da liberdade. Os nazistas sacaram seus revólveres, Souza Dantas os expulsou. Bravo embaixador, marcando, com seu enérgico gesto, toda a firmeza de um povo! Depois Pétain o recebeu. Souza Dantas exigiu as garantias que lhe eram devidas e aos seus auxiliares de representação diplomática e consular. Pétain soluçou hipócritas desculpas, confessou que não passava de um títere de Hitler, confessou que sua política de entrega levara a França à escravidão, à perda total de sua independência.

Os alemães ofereceram a Souza Dantas ele partir sozinho, já que seu estado de saúde era delicado. Mas o embaixador recusou viajar sem seus auxiliares, pelos quais ele é responsável, como um general por seus soldados, um comandante por seus marinheiros. E então Pétain o entregou aos nazis, e um ilustre diplomata e 26 brasileiros são hoje vítimas de um atentado que atinge todo o Brasil.

Não quero me demorar comentando as providências que o povo espera de parte do governo brasileiro. O governo vem agindo com energia e com patriotismo e certamente já está providenciando sobre o assunto.

Não nos restam dúvidas que os brasileiros serão salvos e os nazis castigados, um dia. Quero porém falar, mais uma vez, na tristeza que é se assistir ao degradante espetáculo de uma velhice como a de Pétain. Como pode um homem no fim da vida descer tanto, sentir tanta vontade de se misturar na lama, de se vestir de lodo? Admite-se que um homem ainda com anos de vida na sua frente, com desmedida ambição, chegue a baixezas para conseguir determinados passageiros bens da vida. Mas que um velho a quem só a cova espera, um velho que tem uma tradição a zelar, que já foi admirado pelos seus patrícios, que nada mais tem a esperar da vida, que um velho assim, lance sobre a cabeça inocente dos seus netos tanta vergonha e tanta lama, é uma [?] de espantar, é uma melancólica revelação da capacidade de baixeza de alguns homens.

Aqueles que, no futuro, quando o mundo estiver livre de nazistas e de quinta-colunistas, deveriam levar o sobrenome de Pétain, não o usarão, com certeza, porque depois deste velho tão baixo, o nome Pétain virou palavra feia, mais feia mesmo que aquele adjetivo com que os franceses trocadilham. Virou sinônimo de traição e de vileza, sinônimo de desonra, antítese de patriotismo e de dignidade!

HITLER CONTRA ZUMBI DOS PALMARES
27/2/1943

EM UMA EXCELENTE SÉRIE DE ARTIGOS O PROFESSOR ARTUR RAMOS, SÁBIO QUE dedicou a sua vida aos estudos sobre o negro brasileiro, vem expondo qual seria a situação dos negros e mulatos sob a trágica "nova ordem" nazista. Numa dessas crônicas o autor de *O folclore negro do Brasil* cita um artigo de Hans Habe, publicado em *The Nation*, sobre: "The Nazi plan for negroes". Através esse plano de colonização nazi dos negros e mestiços de todo o mundo, experimentado nos negros prisioneiros de guerra, podemos nos dar conta do destino que nos estava reservado. Digo nós, num caráter geral, porque os planos de Hitler são de referência a todos os negros, mulatos e mestiços, e ele sempre considerou o Brasil um "miserável país de mestiços" que devia ser civilizado pelos "cultos arianos nazistas". À primeira vista esta afirmação hitlerista parece uma simples frase insultuosa. Porém nós bem sabemos, através os acontecimentos da Europa, que em seguida aos insultos vêm os dramas provocados por aqueles que fizeram do assassinato e da escravidão sua norma de vida.

Hitler se levantou contra Moisés e a raça judia tem sido sua vítima mais constante e mais torturada. Mas, no seu delírio bestial, ele se voltou também contra todas as demais raças que não fossem a raça ariana que produziu a "beleza" do fenômeno nazista. Atribui uma suposta decadência das raças latinas à mescla de sangue, e afirma que a derrota do exército francês foi devida ao número de negros coloniais que formavam nos seus corpos. Talvez Hitler queira apenas, com esta última afirmação, chamar de negros à quinta-coluna num repentino desprezo pelos Lavals e Pétains que entregaram a França.

Estas afirmações do rato Adolf ratificadas pelas leis imbecis do imbecil Congresso de Nuremberg,* onde as teses racistas foram oficializadas, esta divisão do mundo em uma "raça superior", a branca ariana, e várias "raças inferiores", nascidas para escravas daquela, nos atingem diretamente. Fomos sempre exemplo de democrática isenção de preconceito de raça. Foi necessário que medrasse aqui a semente do nazismo no capim verde do integralismo, para que os preconceitos raciais viessem à tona num país como o nosso de forte miscigenação. Honramo-nos de grandes heróis negros e ainda não faz muito a 7ª Região Militar comemorava um deles com brilhante solenidade: Henrique Dias. Zumbi dos Palmares, herói dos negros inimigos da escravidão, é símbolo de toda a dignidade de uma raça lutando pela sua liberdade. Inspirou grandes poetas e grandes tribunos. Cruz e Souza elevou a sua poesia à altura de uma escola: o simbolismo. José do Patrocínio é um dos padroeiros do nosso jornalismo e entre os poetas românticos é impossível deixar de citar ao lado dos brancos Castro Alves, Álvares de Azevedo, Fagundes e Casimiro, o negro Luiz Gama. Isso para só lembrar alguns negros, quase sem sangue branco. Falar dos mulatos que honram nossa cultura e nossa história é escrever páginas e páginas de nomes entre os quais os de Machado de Assis, Lima Barreto, Tobias Barreto, são três grandes exemplos na literatura. O negro e o mulato têm contribuído de u'a maneira decisiva para a formação de nacionalidade brasileira. Por isso nos interessa de u'a maneira direta a política de Hitler em relação aos negros e aos mestiços. Sabemos que o seu "plano para os negros" devia ser aplicado não só nas colônias africanas como nas "colônias sul-americanas" que ele esperava receber das mãos de Plínio Salgado e outros *quislings*...** Este plano

---

* As leis sancionadas no VII Congresso de Nuremberg, em 15 de setembro de 1935, partiam da premissa de que só era alemão quem tivesse os quatro avós alemães. Os congressos anuais de Nuremberg foram organizados pelo Partido Nazista de 1923 a 1938; alguns eram verdadeiros espetáculos, valendo-se de técnicas teatrais e paradas militares para fazer propaganda ideológica.
** Expressão cunhada na época da Segunda Guerra Mundial para designar indivíduos que colaboravam com os nazistas. O termo deriva do nome do militar Vidkun Abraham Lauritz Jonssøn Quisling, que foi ministro-presidente da Noruega entre 1942 e 1945 e mantinha relações estreitas com autoridades alemãs. Após a guerra, foi condenado por traição e fuzilado.

de colonização era ensinado aos nazis para ser executado na África e na América do Sul, não o esqueçamos!

Consta de seis itens e vale a pena transcrevê-los:

1º) Os negros e mestiços constituem raças inferiores, cujo lugar deve ser determinado pela raça superior, a ariana.

2º) A livre escolha de ofícios e profissões pelos negros leva à assimilação social que, por sua vez, produz a assimilação racial. As ocupações dos negros, mulatos e mestiços serão, assim, inteiramente determinadas pelos alemães arianos.

3º) É inteiramente proibido o casamento de negros, mulatos e mestiços com brancas ou vice-versa. As relações sexuais entre membros das duas raças (arianos e não-arianos) estão sujeitas à pena de morte.

4º) As pessoas que pertençam a qualquer outra raça que não a ariana não possuirão qualquer classe de direito eleitoral.

5º) Aos negros e mestiços é proibido o acesso aos trens de ferro, aos veículos públicos, restaurantes, cinemas, teatros etc. Serão criados carros e estabelecimentos especiais para eles.

6º) Nenhum negro, mulato ou mestiço poderá fazer parte do Partido Nacional Socialista (partido nazi), nem de suas organizações subsidiárias. Não poderão servir no exército, mas serão obrigados a servir em batalhões de trabalho.

Estes seis itens iriam reger a vida dos negros, mulatos e mestiços se Hitler dominasse o mundo. Seriam estes itens que iriam a reger a vida dos brasileiros, a quem Hitler considera "miseráveis mestiços inferiores" (vide edição completa de *Minha luta*. A traduzida no Brasil, suprimiu o trecho), se Plínio Salgado e a quinta-coluna tivessem realizado a planejada entrega do Brasil.

Hitler se levanta contra Zumbi dos Palmares. Antes se levantou contra outros símbolos de outras raças. A "raça inferior" dos eslavos está fazendo Hitler correr que nem um latino italiano. A raça negra da África e seus irmãos negros norte-americanos, que servem neste grande exército mesclado dos Estados Unidos, junto com ingleses, estão fazendo do sonho de um império colonial alemão na África um pesadelo terrível. Também os descendentes de

Zumbi dos Palmares, negros e mulatos do Brasil, junto com os brasileiros brancos que nunca cultivaram as diferenças e os preconceitos raciais, querem provar ao monstro ariano e nazi que não nasceram para escravos. No coração de Zumbi dos Palmares era tão forte o amor à liberdade que ele preferiu morrer a voltar à escravidão. O sonho escravocrata do demente nazi-ariano se rompe contra a força daquelas raças que ele considerava inferiores.

O insulto à cultura universal que foi o Congresso de Nuremberg está sendo vingado pelas armas de homens de todas as raças e de todos os povos, negros, mulatos e mestiços inclusive.

ÚLTIMO DIÁLOGO DOS CHEFES INTEGRALISTAS
9/3/1943

QUANDO TERMINOU AQUELE CARNAVAL IN-
TEGRALISTA, EM DUAS FORCAS, ARMADAS numa estrada, se encontravam pendurados Plínio e Gustavo, os dois chefes. Do alto
das forcas eles podiam ver vários ex-integralistas jurando que eram
democratas, que sempre o tinham sido, que mais do que nada no
mundo amavam a democracia. Então, entre Plínio e Gustavo tra-
vou-se o seguinte diálogo:

PLÍNIO: — Estás vendo, Tavinho? Tão traindo...

GUSTAVO: — Tão mesmo... Aqueles são é dos bons...

P.: — Dos bons, como?

G.: — É claro. Dos bons integralistas... Traem até o último momento... Tômbola, orgulhemo-nos deles (*saúda com três anauês*).

P.: — Porém, Garapinha, assim também é demais. Eu ensinei
que eles deviam trair os pais, as mães, as noivas, os amigos, que
deviam trair a pátria. Mas trair ao integralismo e a mim, não...

G.: — É o hábito, chefe. É a tradição do partido...

P. (*com voz de sabido*): — Tavinho, você era capaz?...

G.: — De quê, filho de Adolf?

P.: — De me trair?

G.: — É claro. Eu sou integralista é de verdade...

Há um fúnebre silêncio. Plínio olha espantado. Gustavo continua, após lançar um triste olhar ao seu redor.

G.: — Para falar a verdade eu tentei. Também disse que era democrata, mas ninguém acreditou... Uns malvados... (*chora*).

P.: — Então você acha?...

G.: — Acho...

P.: — Você nem sabe o que eu ia dizer...

G.: — Sei, sim...

P.: — Então diga...

G.: — Você ia perguntar se você também devia trair, não era?

P.: — Era, sim... (*alegre*). Já tenho traído tanto, sou o campeão absoluto. Traí os próprios integralistas em 38. Mas desta vez fiquei firme...

G.: — Você sempre foi mentiroso... Então você pensa que eu não sei? Mendes Fradique me disse que você tentou...

P. (*ligeiramente encabulado*): — Fradique disse? Que traidor...

G.: — Um verdadeiro integralista...

P.: — Não acreditaram, não. Eu até trouxe um diploma passado em Portugal dizendo que eu era liberal-democrata... Riram na minha cara.

G.: — A verdade é que só nós dois é que vamos morrer...

P.: — É mesmo, que coisa mais triste... (*chora*).

G.: — Isso não está direito...

P.: — Não está, não... Mas o que é que a gente pode fazer?

G.: — Eu tenho uma idéia...

P.: — Tem mesmo? (*mais do que rápido rouba a idéia de Gustavo*).

G.: — Você roubou minha idéia, chefe...

P.: — Hábito integralista...

G.: — Vamos executá-la?

P.: — Vamos... (*chama o guarda, o guarda se aproxima*). Olhe, seu guarda, aquele que está ali, Reale, também é integralista. É chefe. Foi ele quem me meteu nisso...

G.: — E aquele outro, o gordinho, é o Santiago, chefe também. Não acredite quando ele disser que é democrata. Integralista no duro...

E assim continuaram os dois, honrando até o fim as duas maiores obrigações de bons integralistas: trair e denunciar.

REFUGIADOS POLÍTICOS
12/3/1943

OS JORNAIS TRAZEM TELEGRAMAS SOBRE O PROBLEMA DOS REFUGIADOS POLÍTICOS, aqueles que procuraram nas terras livres da América o clima de liberdade, de democracia e de trabalho, que era impossível encontrar nas pátrias dominadas pelo nazismo. Hitler fez da Europa um continente inabitável. Desonrou-o com a presença das suas tropas de assassinos, com seus métodos terroríficos de governo. Manchou a dignidade dos europeus com a sua presença sobre eles, com a sua ferocidade animal, com sua bestialidade de degenerado. E muitos homens fugiram e vieram buscar em terras dos países americanos aquilo que a Europa já não podia oferecer, as coisas mais essenciais à existência humana.

Drama dos mais comoventes desta guerra é o dos refugiados. Houve um detalhe de pura tragédia grega: aquele navio repleto de judeus que andou de porto em porto, sem conseguir onde desembarcar estes viajantes sem pátria e sem destino. Tão trágico que lembrava o livro de Bruno Traven, outro alemão exilado, o *Barco de los muertos*. Entre os escritores latino-americanos circulou um pedido dos seus confrades ianques para que auxiliassem os escritores europeus refugiados. Grandes homens da inteligência haviam perdido tudo na Europa e se encontravam necessitados. Dramas nascidos da bestialidade nazifascista, nascidos numa época em que a alegria dos homens é arruinada pela existência de um monstro como Hitler.

Centenas e centenas de famílias, famílias decepadas que perderam cada uma algum ser querido, chegam de todas as partes onde o nazismo assentou sua bota, para as terras da América. Vêm fugindo da desgraça, dos fuzilamentos, da fome, da escravidão, dos campos de concentração. A América aparece ante seus olhos como o símbolo da liberdade, da decência, da dignidade.

Trazem os olhos cheios de horror, mas no fundo dos corações brilha uma esperança de vida nova na nova pátria.

Uma tragédia maior que todas se levanta entre os refugiados de guerra. É a infância, crianças que chegam aterrorizadas. Na idade em que a alegria e a despreocupação devem ser os únicos sentimentos, estas crianças conhecem todas as desgraças da vida, todos os momentos amargos, a dor na sua total densidade.

Recordo-me de uma criança judia que conheci em Montevidéu. Chegara da guerra, primeiro fugira, com sua família, dos novos *pogroms* de Hitler para a França que estava sendo traída. Veio a guerra e mais uma vez foi a fuga. Finalmente um navio trouxe a família para o Uruguai. O menino não tinha alegria nem paz. Era uma criança formosa mas seus nervos estavam rebentados que nem os de um velho neurastênico. Rasgava o coração ver os olhos arregalados da criança, andando no jardim da casa sem coragem de brincar, se escondendo de todos e de tudo, se assustando por qualquer coisa.

Um dia, recordo-me, era domingo, as sirenes dos jornais tocaram. Traziam na sua voz uma trágica notícia para os brasileiros que residiam em Montevidéu. Avisavam dos torpedeamentos dos nossos navios. Quando as sirenes começaram a tocar a criança estava ao meu lado. Mas, mal ouviu o silvo penetrante, largou de minha mão, correu em busca de onde se abrigar e gritava com sua voz dolorida e inocente:

— Mãe! Mãe! Já vêm os aviões...

Pensava que iam começar novos bombardeios, seu coração vivia repleto de um passado recente cheio de sofrimento. Foi um trabalho para acalmá-lo e por fim ele chorava em altos soluços. Era de rasgar corações.

Entre as muitas coisas que temos a vingar estão as crianças exiladas da sua pátria, de meninice partida pela desgraça, de olhos cheios de medo, crianças que Hitler e seus lacaios deixaram sem infância e sem alegria. Crianças criadas na dor e no desespero.

"ÁFRICA! ÁFRICA!"
13/3/1943

"ÁFRICA! ÁFRICA", GRITAVAM OS ESTUDAN-
TES E O POVO, LEVANTANDO AS MÃOS, os dedos abertos na saudação do V da vitória. "África! África!", diziam, e era a expressão de um desejo de todo o povo. Assim contam os telegramas
ao falar do Carnaval da Vitória* que a Liga da Defesa Nacional
e a União Nacional dos Estudantes realizaram no Rio de Janeiro transformando a festa de ruidosa alegria numa manifestação
democrática e antinazifascista.

"África! África", diziam, e era uma resposta aos nazis assassinos. Pouco antes fora dada ao povo brasileiro a notícia que mais
dois navios nossos, nas costa baiana e espírito-santense, tinham
sido torpedeados pelos submarinos piratas. E o povo respondeu,
nas ruas do Rio de Janeiro, a mais este crime das bestas nazistas,
com o pedido de guerra ativa, de participação na batalha que se
trava nos desertos: "África! África!". Se o pensamento de Hitler
e seus asseclas, ao torpedearem navios brasileiros, foi intimidar
o povo da nossa pátria, já devem ter, mais uma vez, se desiludido. A cada agressão, a cada tentativa de amedrontamento, o povo responde com a sua decisão de lutar, de honrar os compromissos assumidos pelo Brasil, de formar ao lado do governo numa
inquebrantável unidade nacional que nos conduza aos campos
de batalha. A resposta do povo à agressão última do nazifascismo foi um grito de luta e de vingança: "África! África!". E os dedos abertos no V da vitória que se aproxima.

---

* Os carnavais cariocas de 1943, 1944 e 1945 foram marcados pela intervenção do Estado. Em
1943, o tema estipulado foi o "Carnaval da Vitória", cujo slogan era "Colaboro, mesmo quando me
divirto". Em meio às cuícas e aos estandartes, ouviam-se brados contra os inimigos e avistavam-
se bandeiras. Após o final da guerra, houve Carnavais da Vitória em várias cidades brasileiras, inclusive Salvador, celebrando a queda de Berlim e o sucesso dos aliados.

Dias antes o noticiário dos jornais revelava ao povo a descoberta da conspirata de Cruz Alta, os tribunais recebiam processos de quinta-colunistas para julgamento, a junta militar condenava a vinte anos de prisão asquerosos traidores. A quinta-coluna, respondendo aos últimos apelos dos chefes nazistas, tentara em todo o mundo levantar mais uma vez a cabeça de víbora e disseminar seu veneno mortal entre os povos livres. Vozes ilustres do Brasil — a do general Manoel Rabelo entre elas — avisaram ao povo de que os verdes integralistas, servos miserandos de Hitler, vendidos por migalhas da mesa nazi, tentavam se levantar contra o governo e o povo, tentavam lançar a confusão, a discórdia, a desmoralização, na nossa frente interna, sabotavam o esforço de guerra ativa, tentavam impedir a concretização da unidade nacional. As revelações das autoridades, em todo o país, provaram a verdade das palavras dos governantes e dos patriotas. A conspirata de Cruz Alta, com seu rosário de torpezas — "sabotagem, divisionismo, assassinato", eis o seu lema — foi a mais clara e completa prova da obra nefanda dos nazi-integralistas, os nascidos de Hitler e Plínio em sórdido conúbio.

E o povo, na terça-feira de Carnaval, quando abandonou as diversões para formar na festa cívica da Vitória, respondeu aos quinta-colunistas com uma palavra de ordem concreta e decidida, uma palavra de luta, uma palavra onde ressoa a dignidade de uma pátria livre e de um povo glorioso: "África! África!". Aos traidores, aos integralistas de toda a covardia, à quinta-coluna agindo na sombra, o povo respondeu com seu grito de guerra e de vingança: "África! África!".

Na África, os aliados — ingleses, americanos e franceses — lutam contra as forças bárbaras do Eixo. A África é o trampolim da segunda frente. Quanto antes se decida da batalha nos desertos mais nos aproximamos da vitória. O povo o sabe e por isso vem pedir para partir, para contribuir com o seu sangue e sua vida, para contribuir com as armas do Brasil para a grande batalha. Ilustres chefes militares e navais, homens públicos e governantes, têm afirmado que o Brasil deve se preparar para a guerra ativa.

E ao lado de todos estes homens se encontra a unanimidade do povo brasileiro, repetindo o grito dos cariocas: "África! África!".

Grito que é uma eloqüente resposta aos assassinos nazifascistas e aos seus agentes quinta-colunistas, os vermes do integralismo.

Às suas sórdidas manobras, responde o povo: "África! África!".

A CIÊNCIA MÁRTIR
18/3/1943

MATAM HOMENS VELHOS E MOÇOS, MATAM MULHERES E CRIANÇAS, MATAM POETAS, foram eles que mataram García Lorca numa manhã de Espanha quando iniciavam seu assalto aos povos livres, matam cientistas também. À infância eles odeiam porque representa pureza e futuro, e os nazis são impuros como bestas e são retrógrados, tentam levar a humanidade a uma noite como igual ela nunca viveu. Matam as mulheres porque eles odeiam a sua missão santa de mãe e esposa, a sua lírica missão de namorada e noiva. Degenerados sexuais, os nazis odeiam as mulheres. Odeiam os velhos que são como uma acusação erguida contra os seus crimes monstruosos.

Odeiam os homens livres porque, como os nazis nasceram para escravos, tentam se transformar em escravizadores. E odeiam sobretudo a ciência porque a ciência representa o domínio do homem sobre a natureza, sobre a miséria, sobre a dor, representa as conquistas do homem no caminho da felicidade na terra. Os nazis odeiam a ciência e os cientistas com um ódio frio e lógico, como monstros podem odiar tudo que para eles represente um perigo. Nada mais perigoso para os nazifascistas, e para seus vassalos de todos os integralismos do mundo, que a ciência. Ela destrói a dor e a maldade, ela é bandeira de liberdade e de progresso. Os nazis são dor e maldade, são crime e perversão, seu ódio à ciência é orgânico.

O telegrama que nos traz, numa trágica estatística, números e nomes de alguns dos sábios assassinados pelo nazifascismo, é destes que enchem de revolta qualquer ser humano. Imaginamos os dias tranqüilos do sábio, retirado no seu gabinete, no seu laboratório, na sua sala de pesquisas, modesto e quase tímido diante dos homens que se agitam lá fora, todo entregue ao estudo e à meditação, trabalhando para o bem da humanidade. Lembramos destas vidas heróicas que trouxeram o mundo à grandeza de civilização dos dias de hoje. Lembramos Pasteur e lembramos Oswaldo Cruz. Lá fora é a vida na sua contínua movimentação, eles se jogam para o futuro, contra as doenças, contra todas as formas de oposição ao homem e à sua felicidade, contra todos os males do mundo. São heróis de um heroísmo silencioso, a vida toda numa dedicação nem sempre reconhecida. Nas democracias os sábios são respeitados e amados na sua vida ou na sua memória. São colocados ao lado dos guerreiros, dos estadistas e dos poetas. Construtores dos povos e das nações.

Mas, nos países dominados pelo nazifascismo, a ciência e os sábios são objetos de ódio mortal. O nazismo odeia a criação humana em todos os campos onde ela se manifesta. Odeia a ciência acima de tudo. Os campos de concentração substituíram os laboratórios na Europa invadida, os muros de fuzilamento substituíram os livros de estudos. Regressamos aos princípios do homem, quando ainda sua natureza de fera dominava seus instintos humanos. Isto é o nazifascismo, isto é o integralismo acrescido de traição. Não vos esqueçais nunca, amigos!

Na França de tanta dor, na França dos guerrilheiros despertando, Fernand Alvier, pioneiro da televisão, sábio de renome mundial, se negou a revelar aos nazis segredos científicos. A ciência se coloca a serviço do bem, não a serviço do crime. Foi torturado até morrer. Quantos sábios e intelectuais franceses já tiveram a mesma sorte? Chegará o momento do nazifascismo responder ante o tribunal dos homens livres. Será larga a lista e será justo o castigo.

Na parte ocupada da Rússia, os sábios morrem nas prisões. Já morreu Teslav Baladshvetsky, tão conhecido em todo o mundo científico, já morreu também o reitor do seminário de Cracóvia, Peter Warchik. Morreram sacrificados ao ódio dos nazis à cultura. Só em Cracóvia 140 sábios estão em campos de concentração.

Na Polônia sangrante, 170 professores da Universidade de Varsóvia pagam, com todo o sofrimento que se possa imaginar, a culpa de serem sábios. Pecado indesculpável para os nazifascistas, para os integralistas também. Não vos esqueçais, amigos!

São alguns números e alguns nomes dentre muitos números e muitos nomes. A ciência é mártir nas terras ocupadas da Europa. A ciência que não se entrega aos monstros. Não vos esqueçais nunca, amigos. Que nenhuma piedade reste nos vossos corações para com os nazifascistas, para com os integralistas também! Eles são assim, feras sedentas de sangue, chegadas do passado do mundo, inimigas da ciência e da poesia, da vida do homem!

VINGANÇA CONTRA OS ASSASSINOS!
21/3/1943

OS NAZIFASCISTAS ASSASSINARAM MAIS 123 BRASILEIROS NOS PRIMEIROS dias de março. Desde o mar de cadáveres sobe um clamor de vingança. Este mar do Atlântico sul era de águas tranqüilas, pelas quais cruzavam os transatlânticos nas noites mornas e os grandes cargueiros negros. Mas os assassinos vieram e agora este mar é um mar de guerra, onde bóiam os cadáveres dos nossos irmãos. Homens e mulheres, crianças inocentes, saciaram a sede de sangue e de ódio dos monstros nazifascistas. No ano passado eles nos agrediram nas nossas águas territoriais e centenas de brasileiros foram mortos no mar. Novamente agora os nossos navios sofrem traiçoeiras agressões e novamente os corpos dos nossos patrícios avermelham de sangue a água azul do oceano. Desta vez foram o *Brasiloide* e o *Afonso Pena*. Neste último 123 homens morreram, enquanto os assassinos riam e se divertiam. Desta vez era italiano o submarino, italianos fascistas eram os assassinos.

Ainda havia talvez alguém que tentasse estabelecer, numa confusão útil à quinta-coluna, uma diferença de sentir em relação aos nazistas alemães e aos fascistas italianos. Havia ainda alguns que tentavam deixar entrever certa simpatia pela Itália ridícula e trágica de Mussolini, o tirano misto de palhaço. Agora todos podem constatar que tanto os fascistas da Itália quanto os nazistas da Alemanha são igualmente inimigos nossos, uns e outros derramaram sangue brasileiro, uns e outros pagarão este sangue! E o pagarão com juros altos!

Que resposta podemos dar a mais este crime contra a nossa soberania, contra a vida dos nossos irmãos? Só uma resposta digna pode sair de peitos brasileiros, de almas brasileiras, de homens e mulheres nascidos no Brasil, e esta palavra é: ÁFRICA.

Queremos ir ao encontro dos assassinos, ir onde quer que eles estejam tentando escravizar nações e povos. Somos hoje signatários da Carta do Atlântico* e do pacto que une as nações livres do mundo em guerra contra os assassinos alemães e italianos. Os corpos dos nossos irmãos boiando num mar de restos de navios reclamam vingança. Esta vingança nós a devemos ir buscar. Seríamos indignos de haver nascido em terras do Brasil, na pátria de Floriano, de Deodoro, de Tamandaré, de Osório e de Siqueira Campos, se nos deixássemos ficar de braços cruzados, vendo os nossos irmãos morrerem. Do fundo do mar subiria um clamor de desespero, do fundo do tempo, onde dormem os heróis do nosso passado, subiria um grito de vergonha. Não somos nem covardes, nem traidores! Uma atitude de acovardamento só compete àqueles que trocaram sua cidadania brasileira pelas fileiras indignas do integralismo quinta-colunista. Nós somos brasileiros, e à morte dos nossos irmãos respondemos com um grito: ÁFRICA!

África que amanhã será Europa, que amanhã será Alemanha, que amanhã será Berlim. Ali, no coração do nazismo hão de tremular as bandeiras do Brasil, ali e em Roma. As bandeiras vingadoras, que os soldados de um exército glorioso hão de conduzir. Os nossos marinheiros, os marinheiros de Tamandaré, cruzarão os mares levando os soldados para a África e para a Europa depois. Os aviões da FAB [Força Aérea Brasileira] cruzarão os céus africanos e europeus, irmanados com os da RAF [Royal Air Force], com as fortalezas-voadoras de Norte-América, com os caças russos. E, ao lado dos soldados do mundo livre, os soldados do Brasil marcharão pelas estradas que levam à derrota do nazismo alemão, do fascismo italiano, das quinta-colunas de todo o mundo. À agressão e ao assassinato dos nossos irmãos respondemos com uma só palavra: ÁFRICA!

Os aliados nos esperam, os corpos brasileiros boiando no mar de torpedeamentos, onde os cínicos italianos assassinos riem, pe-

---

* Assinada por Roosevelt e Churchill em agosto de 1941, a bordo de um navio na Argentina, a carta declarava que nenhum ganho territorial seria buscado pelos Estados Unidos ou pelo Reino Unido; que, restaurada a paz, barreiras comerciais deveriam ser excluídas e a autodeterminação dos países respeitada; que a cooperação econômica global deveria ser incentivada e as nações agressoras desarmadas. Foi o primeiro passo para a criação da Organização das Nações Unidas, em 1945.

dem que partamos. O campo de batalha nos espera. Os assassinos matam brasileiros. Cada morte deve ser vingada com juros altos. Na África, os aliados se preparam para invadir a Europa. Os brasileiros ocuparão o seu lugar neste exército libertador.

Seria preciso que fôssemos um país de covardes integralistas, vendidos a Hitler e a Mussolini, para que silenciássemos ante o atentado último. Não, não responderemos com um medroso silêncio. Com coragem, dignidade e ódio gritaremos: ÁFRICA! E lá, e na Europa, e na Alemanha e em Berlim, vingaremos os nossos irmãos mortos no mar.

ABSOLVIÇÃO!
23/3/1943

AO LADO DOS NÁUFRAGOS DO *AFONSO PE-NA*, DAQUELES QUE SOBREVIVERAM para assistir à vingança, se encontram hoje os náufragos do navio vítima também da sanha assassina dos nazifascistas, náufragos que comovidamente a nossa cidade hospeda, dando-lhes o tratamento carinhoso que merecem, aliados nossos que são, escapados da morte nas mãos de feras dos comparsas do palhaço Mussolini.

Ontem, quando as baleeiras se dirigiam para o porto finalmente antevisto, onde iriam os náufragos descansar dos horrores do torpedeamento, o coração magnânimo e patriótico do povo, que assistia à cena, se confrangeu. E se confrangeu não somente de piedade pelos estrangeiros aliados que chegavam.

Foi também a lembrança que aquela cena trazia à memória de cada um dos presentes, cada um se recordava dos horrores pelos quais tinham passado, dias antes, os brasileiros do *Afonso Pena*, os nossos irmãos lançados aos perigos do mar pela traição da quinta-coluna que alimenta com sua miséria a covardia destes mesquinhos italianos e a sordidez daqueles bárbaros alemães.

No submarino italiano que viola as nossas águas territoriais, alguém falava perfeitamente português, assim o dizem as reportagens dos jornais. Também o integralismo traidor e vendido se encontrava representado na quadrilha de bandidos italiano-fascistas que matou nossos irmãos. O povo vibra de indignação, de desejo de vingança, de cívico ódio. No norte, um nosso patrício, enlouquecido com a notícia, tirou a vida de um italiano. O espetáculo dos homens e das mulheres brasileiras que leram as reportagens publicadas por *O Imparcial* de domingo era comovente. Um só grito em todos os peitos: vingança!

E este grito se transformava num clamor ainda mais alto, quando vinha à consciência de cada um a qualidade de italiano do submarino. Tratamos sempre os italianos como irmãos nossos. Encontraram eles em terra do Brasil uma pátria nova que lhes deu riqueza, paz e felicidade. E, no entanto, conspiravam e conspiram contra a nossa segurança. Igual às viagens de "fraternidade" de zepelim, nave aérea de onde puderam os alemães fotografar e localizar cada trecho da costa brasileira, assim foram as viagens dos aviões da LATI [Linhas Aéreas Transcontinental Italiana]. Que faziam aqui esses aviadores italianos, que se diziam ligados a nós pelos laços da latinidade, senão espionar para depois apunhalar? Aqui esteve este monstruoso Bruno Mussolini, o que se regozijava com o assassinato dos indefesos negros abissínios, miserável fera solta, nascida de pai idiota.

E este cretino, débil mental e fanfarrão, declarava que vinha em viagem de amizade. Vinha, isso sim!, espionar, vinha comprar traidores, vinha trazer dinheiro para Plínio Tômbola e outros Gustavos Barrosos... Aos italianos tratamos como irmãos, e, no entanto, os fascistas levantaram o seu punhal contra o Brasil, deram seu ouro para os traidores da pátria, os condes tipo Crespi financiando o movimento verde, legando fortunas ao fascismo italiano. Talvez que este mesmo submarino que violou as nossas águas, matou nossos irmãos e matou nossos aliados, tenha sido construído com dinheiro ganho pelos italianos fascistas no Brasil, por estes condes que exploram nosso trabalho, nossas matérias-primas, nossos patrícios operários, que jogam com o crédito dos nossos bancos, que tiram da nossa terra e da nossa gente as fortunas com que presenteiam Mussolini e compram Plínio Salgado. Quem sabe amigos, se não foi com dinheiro brasileiro, com dinheiro arrancado do nosso suor, e da nossa pátria, que foi construído o barco assassino? Possivelmente foi!

No fundo do mar os nossos irmãos pedem vingança. Nos cemitérios, os italianos enterravam seus patrícios fascistas saudando à moda do *fascio*, jurando pelo Duce. Hoje, ainda os seus criados verdes assim o fazem nos cemitérios de Alagoas. Inimigos e traidores aí estão! Italianos, alemães e integralistas! Ontem foram os navios brasileiros, hoje o navio aliado. Talvez tenha saído das fábricas de São Paulo o ouro que financiou as couraças e os torpedos que mataram os nossos irmãos. Vingança, pede o povo.

Se alguém quiser que atire uma pedra, uma palavra de condenação neste padeiro nordestino José Evaristo, que matou, em vingança do sangue brasileiro, um italiano.

Esta palavra não sairá da minha boca, não será escrita pela minha pena. Imagino como não repercutiu no seu coração de nordestino amante da pátria o crime dos assassinos italianos fascistas. Viu, sem dúvida, ante seus olhos já alucinados pelo desespero, outros olhos, os dos náufragos fitando a costa do Brasil, morrendo na esperança que sua morte fosse vingada. Viu mãos de brasileiros se agitando no mar de tubarões e estas mãos clamavam vingança. Viu criancinhas morrendo e o ódio se apossou dele, foi mais forte que a sua razão e ele saiu em desespero e matou um italiano. Desde estas minhas colunas eu peço, ao jurado que o julgar, a sua absolvição. Porque os brasileiros mortos estão pedindo vingança e o ódio está dentro de cada coração patriota. Apenas José Evaristo não pôde controlar seu ódio para empregá-lo no esforço de guerra que o governo e o povo do Brasil realizam. Era um nordestino patriota e instintivo e seu coração sangrou de ódio contra os assassinos. Juízes, absolvição para aquele que matou por amor à pátria!

AS BANDEIRANTES E O ESFORÇO DE GUERRA
24/3/1943

EIS UMA GENTE SIMPÁTICA: AS BANDEIRAN-TES. O NOME LEMBRA LOGO OS PAULISTAS atrás dos índios, desbravando caminhos, plantando roças, levando o progresso para adiante, mato adentro. Elas, as bandeirantes, realizam um pouco este serviço na floresta da educação brasileira, onde por vezes as árvores espinhosas do feudalismo colocam embaraços a um melhor desenvolvimento da mulher. As bandeirantes, com seus acampamentos, sua tentativa de educação prática das jovens, seu amor à natureza, aos animais, sua dedicação ao próximo, derrubam algumas dessas daninhas árvores, com suas mãos gentis.

A impressão que me restou de uma conversa com um grupo de bandeirantes foi que uma decisão alegre e amável era a principal força destas jovens sérias porém risonhas, de uma seriedade que não é tristeza, pensando numa educação que não seja castigo. Falaram elas do que têm realizado e no que pretendem realizar. Têm realizado muito pelo mundo afora, não sei se tudo o que elas têm tentado e tudo que têm feito é certo e justo. Não sei. Sei, porém, que elas representam uma força educacional, são jovens entusiastas e sãs, de espírito claro, voltado para uma série de coisas práticas. Pareceram-me boa gente para este momento de guerra, gente capaz de compreendê-lo e de ser útil à pátria, de dar uma poderosa contribuição ao esforço de guerra que o Brasil realiza para salvaguardar a sua independência e para concorrer para a libertação dos povos que Hitler escravizou.

Algumas coisas as bandeirantes já têm feito. Porém tenho a impressão que as energias destas moças não estão sendo aproveitadas devidamente, penso que elas ainda esperam uma oportunidade maior para maiores serviços à causa das Nações Unidas.

Poderia ter me demorado em louvores às bandeirantes tão

simpáticas e tão decididas, no decorrer desta nota. Prefiro, no entanto, encher o papel com estas indicações dos serviços de guerra que chamam pelo esforço destas moças que aprenderam com a natureza uma alegria sã e que sabem prestar auxílio valioso à educação brasileira. A guerra é hoje o nosso problema central. Enquanto não vencermos Hitler e seus asseclas todos os demais problemas são secundários. Creio que o melhor elogio que posso fazer às bandeirantes é dizer que todos os patriotas esperam que elas dediquem, neste momento, todas as suas forças de organização e todas as suas forças individuais ao esforço de guerra do Brasil.

Importantíssimo é o papel representado nesta guerra pela mulher. Já não quero falar nas guerrilheiras russas e no seu heroísmo, nas admiráveis operárias inglesas e norte-americanas, nas aviadoras chinesas, nos batalhões femininos da Inglaterra, no trabalho ajudístico das mulheres argentinas e uruguaias. É qualquer coisa de formidável o que as mulheres vêm fazendo no mundo. Elas, nesta guerra, puseram abaixo todas as últimas insinuações que teimavam em dar-lhes um papel inferior ao homem na construção e na defesa do mundo e da liberdade. Têm sido extraordinárias. No Brasil já se avoluma o trabalho feminino e é isto o que quero lembrar. Os jornais diariamente noticiam tarefas realizadas pela Legião Brasileira de Assistência, tarefas de visitas às famílias dos convocados, de assistência aos náufragos, às crianças pobres, numa admirável cooperação à manutenção de uma elevada moral na frente interna. Por outro lado, uma reportagem de uma revista carioca informa longamente sobre a cooperação das trabalhadoras brasileiras, que começam a ocupar as vagas deixadas pelos convocados nas fábricas que não podem parar seu trabalho. Uma idéia e uma realização que contam com grande ajuda feminina: os bancos de sangue que mobilizaram tanta gente e que prestam tão grandes serviços. A mulher brasileira, mulher que descende de Joana Angélica, de Anita Garibaldi, de Ana Nery e de Maria Quitéria, começa a sua mobilização para a guerra.

Nesta mobilização feminina as bandeirantes podem e devem ter um grande lugar. Ao lado das organizações estudantis nas campanhas cívicas, na colocação dos bônus de guerra, ao lado das que realizam os bancos de sangue, ao lado da Legião Brasileira de Assistência, nos diversos setores em que esta trabalha. E em trabalhos novos, na preparação de mulheres aptas para substituírem os convocados nos diversos misteres da frente interna, por exemplo. Para esta espécie de serviço as bandeirantes estão talvez mais capacitadas que quaisquer outros jovens, já que a sua organização em tempos de paz se dedica exatamente a dar um caráter prático à educação das moças.

MANÍACOS DO ASSASSINATO
26/3/1943

NÃO HÁ DÚVIDA QUE, EM TODO O PAÍS, OS INTEGRALISTAS, CUMPRINDO ORDENS dos seus amos nazifascistas, chegadas através o Führer de opereta Plínio von Salgado, estão se movendo em conspiratas, sabotagens, boatos e divisionismos. Ainda repercutem nos ouvidos de todos os patriotas as palavras de clara advertência do general Manoel Rabelo e do coronel Alcides Etchegoyen, chefe de polícia do Distrito Federal. E, além destas palavras de homens da maior responsabilidade, estão aí os fatos, os de Cruz Alta, os do estado do Rio, os de Alagoas, numa cadeia em todo o Brasil, provando, sobejamente, que a canalha verde se movimenta e se articula criminosamente contra a independência da pátria, tentando entregar o Brasil aos nossos inimigos. Enquanto não o consegue, vai entregando os nossos navios aos submarinos alemães e italianos, vai tentando a sabotagem ao esforço de guerra, vai tentando dividir o povo com uma boataria enorme, na esperança de impedir a unidade nacional em torno ao governo, unidade necessária à nossa vitória. No entanto, tudo isto são detalhes de um plano mais total, de um movimento mais profundo, que atinja todo o país e nos leve à guerra civil, à abertura de um front dentro da nossa própria pátria, presente de mão beijada a Hitler, golpe que repercutiria violentamente na unidade pan-americana e que afetaria todo o esforço de guerra das Nações Unidas. Este o plano da quinta-coluna, este o plano do integralismo, este o plano dos verdes plinistas, vendedores da pátria.

Para conseguir a realização dos seus sórdidos propósitos os integralistas lançam mão de tudo, inclusive dos próprios democratas que muitas vezes, inocentemente, se prestam às suas manobras divisionistas, que muitas vezes se encarregam de espalhar os boatos que os integralistas desejam ver circulando.

Lançam mão de tudo, da sabotagem (em que são mestres), da ameaça, da confusão. Mas, sobretudo, eles amam o assassinato. Os integralistas são, como os nipo-nazifascistas, seus patrões, assassinos por vocação, nasceram para o crime e sempre os seus planos políticos são cercados de um ambiente de ameaças a todos os que não concordam com eles.

O levante de maio de 1938, antes de ser uma revolta ou uma revolução, foi um atentado terrorista à pessoa do presidente da República, foi uma tentativa de assassinato. De outra coisa não cogitavam os traidores do estado do Rio que, devorando livros de Gustavo Barroso, sonhavam o assassinato do presidente Getúlio Vargas e do chanceler Aranha. Achavam que esse era o meio mais prático de afastar o Brasil da senda dos países democráticos, era o meio mais fácil de entregá-lo à Alemanha nazista e à Itália fascista. Para realizar os seus propósitos sujos, os integralistas não recuam ante nada, nada lhes parece desaconselhável, ao contrário, o crime os tenta, o assassinato os chama com um chamado poderoso. É uma questão de vocação. Assim como Deus chama os religiosos, assim como o ideal de liberdade chama os democratas, assim como o roubo chama os escroques, assim o assassinato chama e domina, poderosamente, os integralistas. Esta é a sua vocação e porque a possuem é que eles ingressam no nefando partido da traição à pátria.

Não pode pois constituir surpresa para ninguém o fato que os nossos confrades d'*O Estado da Bahia* noticiaram ontem: o integralista João Rosendo Sena chamado à delegacia como envolvido no incêndio da fábrica de algodão medicinal, em Itapagipe, nesta cidade, acabou revelando sua nefasta condição de traidor da pátria, e exibindo as listas com os nomes das autoridades, das pessoas de destaque social, que deviam "ser liquidadas" com a ascensão do nazismo... Aí está a prova daquilo que, destas colunas, viemos denunciando. O integralismo está se preparando para o assassinato em massa, para coroar a sua porca vida com um crime em grande escala.

Estão de parabéns as autoridades baianas com a prisão deste traidor verde, deste assassino em potência, deste assassino por vocação e por seita, do guardador das listas dos que deviam ser sacrificados à fúria dos vende-pátrias.

Eles conspiram em todo o país, em todo o país organizam as listas dos que desejam matar, dos que desejam assassinar. Apenas nem o governo nem o povo estão dispostos a deixarem que os traidores vendidos ao nazifascismo cumpram seus planos diabólicos. Eles deverão ser e serão esmagados sob o patriotismo dos brasileiros!

A CAMPANHA DA SICÍLIA
15/7/1943

OS RUSSOS PARARAM A OFENSIVA ALEMÃ NA FRENTE LESTE. A PENETRAÇÃO MÍNIMA, em pequenos setores, conseguida pelos nazistas, está desaparecendo ante os contra-ataques soviéticos. As perdas alemãs são elevadíssimas. Um telegrama, citando Berlim, informa que a ofensiva alemã teve o intuito de impedir uma ofensiva russa, conjugada com o ataque aliado à Sicília. Sem dúvida os estados-maiores e os governos dos países líderes das Nações Unidas estão de planos assentados e combinados para a batalha de 1943, a que vai decidir em definitivo a sorte da guerra. A tomada da Sicília, que se está processando, representa a ameaça imediata ao continente. A defesa da Europa — prisão que Hitler teima em chamar de fortaleza — vai exigir dos nazifascistas concentrações de tropas muito maiores do que as habituais, destinadas a esmagar as tentativas de revolta dos povos oprimidos. E isso irá trazer um certo alívio aos exércitos soviéticos, que sustentaram durante dois anos o maior peso da guerra, sustando o avanço nazista sobre o mundo e possibilitando o rearmamento das democracias.

Não há muitos dias, quando os nazistas iniciaram sua terceira ofensiva sobre a Rússia, escrevi aqui sobre a urgência da segunda frente. Demorá-la seria um erro fatal. Seria dar tempo a Hitler, para quem, no momento, nada é mais precioso que o tempo. Deixá-lo lutando contra um único inimigo era atender aos vergonhosos apelos do muniquismo que, tendo perdido a guerra, tenta ganhar a paz, demorando a solução do conflito, tentando esmagar a moral dos povos europeus e criar a desconfiança nos povos latino-americanos, propiciando assim a permanência do fascismo no mundo de após-guerra, mesmo sem Hitler nem Mussolini.

Felizmente parece que os aliados não estão dispostos a cair nestas provocações muniquistas. A campanha da Sicília é a melhor prova disso. Ninguém pode duvidar da importância da batalha que se está jogando na ilha fascista, onde aeródromos e cidades se rendem, mostrando que o povo italiano está realmente cansado do jugo do Duce e disposto a colaborar com as Nações Unidas para a mais rápida libertação da Europa. A Sicília deve ser o ponto de partida para a invasão do continente. É uma ponta-de-lança sobre o coração da Itália, de Messina os soldados ameaçam diretamente Roma. Não acredito que após a conquista, que já parece certa, da Sicília, os ingleses e americanos resolvam descansar. Tudo indica que a marcha agora iniciada não terminará senão com a rendição incondicional do Eixo, fórmula única de terminar dignamente a guerra, fórmula de Churchill e Roosevelt que os povos aprovaram com entusiasmo.

Na Europa ocupada, o efeito da notícia da invasão da Sicília deve ter sido enorme. Os povos, que apenas esperam o momento do levante, ouvem, de ouvido atento e coração pulsando, as notícias que circulam ilegalmente, de boca em boca. Os líderes populares, os guerrilheiros, os que permaneceram fiéis à pátria e ao povo, se preparam para apoiar a entrada das tropas aliadas no continente. Iremos assistir a um dos mais belos espetáculos de todos os tempos, quando os povos se levantarem e partirem ao encontro dos soldados libertadores.

A campanha da Sicília é o começo de novos dias para a guerra. A ofensiva alemã na frente leste se frustra, ao mesmo tempo em que cria corpo e cresce a avançada aliada sobre a Europa!

MONÓLOGO DE ADOLF...
17/7/1943

O PALCO É MÓVEL POIS O CENÁRIO, A PRINCÍPIO, REPRESENTA AS ESTEPES RUSSAS. Porém Adolf está em movimento, andando para trás, no caminho de Berlim. Fala ao mesmo tempo que foge. De quando em vez assenta o binóculo de campanha, volta-se, tenta enxergar Moscou. Mas o ruído da metralha faz com que ele corra mais depressa. Adolf, ao falar, tem a ilusão que o faz para o mundo inteiro.

ADOLF: — Oh! Cavalheiros ingleses, que sois quase arianos, um pouquinho inferiores apenas! Oh! Capitalistas judeus americanos, com o judeu Roosevelt à frente, eu vos perdôo! É bem verdade que sois imundos judeus, todos vós, ingleses e americanos, mas eu vos perdôo a todos pois sois ignorantes! Não estais vendo o perigo comunista? Não estais vendo que a Terceira Internacional está avançando para dominar o mundo? (*triste*) O pior é que dissolveram a Terceira Internacional... Mas de qualquer maneira... Não vos compreendo, não! Ando numa grande atrapalhação, nem ingleses, nem americanos, nem russos são pessoas direitas. Eu pensava estar lutando com gente de bem e vejo que estou em guerra com pessoas pouco sérias. Eu sempre confiei, oh! cavalheiros ingleses e gentis judeus americanos!, que vós todos iríeis me auxiliar nesta gloriosa cruzada contra o comunismo que tomou a Polônia, a Tchecoslováquia, a China, a França, a Iugoslávia, a Romênia, a Albânia, a Abissínia e a Bulgária. Com o vosso auxílio eu liquidaria a Rússia, assim Chamberlain e Daladier me prometeram em Munique. Depois então eu vos combateria um a um como mandam as boas regras. E em vez disso estais aliados, dizeis que o perigo comunista é uma balela minha. O que quer dizer que já não acreditais na minha palavra tão honrada, tantas vezes honrada... Cadê Chamberlain? Eu quero Chamberlain, deixem

Hess conversar com Lady Astor, mandem o bispo Spalmann me confessar... Cadê a quinta-coluna? Ah! Cavalheiros ingleses, como vos odeio! Como vos odeio, oh! capitalistas americanos! Ah! Roosevelt! ah! Churchill, se eu pudesse vos entregar a Himmler... Se sois homens, provai! Tomai um avião e descei em Berlim, mas agora enquanto é tempo, e vamos dar uma prosinha na Gestapo! Ah! Se eu vos pegasse lá...

E esses russos miseráveis... como me enganaram... São traidores piores que qualquer dos patriotas franceses que eu comprei! Eu sempre afirmei que a coisa pela União Soviética andava podre, sustentada a chicote, que bastava eu entrar com meus exércitos e os russos fuzilavam Stálin e os demais e me entregavam tudo de mão beijada, eu estabelecia meus latifúndios, dava fábricas a Goering, editava o *Minha luta* nas 53 línguas soviéticas... Enganaram-me e me estrepei! Também a culpa é minha que fui acreditar em Trótski... O desgraçado só queria dinheiro e me enganou... Dos meus quinta-colunas, acalentados no meu seio, ele foi o que menos me serviu. Ah! Esses russos miseráveis... Liquidaram os quintas que consegui por lá. E, depois, tanto Goebbels repetiu, que eu acreditei, que os tanques russos eram de papelão e os aviões não voavam, que o povo passava fome e que Stálin se alimentava de criancinhas... Era fácil acreditar porque no Reich era mais ou menos assim, e eu acreditei...

Ah! Moscou, meu sonho doirado, minha visão mais acalentada, minha esperança... Onde fica Moscou? Preciso de um professor de geografia... Urgentemente! Lancei uma terceira ofensiva, por que não matam Timochenko? Estou na terceira defensiva, estou cedendo terreno, corro para Berlim... Esses russos infames...

(*Mudando o tom da voz*) Oh! Simpáticos bolcheviques russos! Eu sou socialista! Sempre fui, meu partido é operário. Vamos nos unir contra os sórdidos capitalistas anglo-americanos, judeus internacionais. Stálin, quero alisar o teu bigode, eu te amo, acredita na minha amizade!

(*Um correio entrega um telegrama*) Mussolini quer reforços para a Sicília! Responda: "Musso, meu filho, mande italianos para a frente leste!". Timochenko está em ofensiva. Vejam se descobrem onde é mesmo que fica Moscou. De minha parte, penso que Moscou é uma invenção, não existe! Que desde Napoleão não a reconstruíram! Que digam isso pelo rádio, a todo mundo! Esses russos são uns miseráveis. Quem me dera chegar logo a Berlim... Mando matar umas centenas de pessoas e me consolo...

Roosevelt, Churchill, Stálin, eu quero me aliar com qualquer de vós! Não faço questão, eu quero é salvar a pele!

Aparece ao longe a cidade de Berlim, na sombra. Mas o céu está iluminado. São as bombas da RAF. Adolf larga o binóculo, senta no chão, começa a chorar. Plínio Salgado chega de Portugal e com um lenço bordado da ilha da Madeira, qual anti-Verônica do anticristo Adolf, enxuga-lhe suor e lágrimas e pede-lhe uns marcos emprestados.

O PANO É U'A MORTALHA.

RECEIOS DE VICHY...
23/7/1943

ORA, DÁ-SE QUE VICHY, CANDIDAMENTE, RECEIA UM LEVANTE DO POVO FRANCÊS... Tanta ingenuidade chega a comover. Evidentemente esse Pétain e esse Laval, e os demais canalhas que formam o atual governo colaboracionista da França, ainda terminarão por nos fazer chorar de pena. São uns iludidos, pelo que se vê, umas cândidas criaturas que esperavam sinceramente que o povo francês, amante da liberdade e atualmente escravizado, os apoiasse, os seguisse, os mantivesse no poder, com flores, palmas e manifestações...

Não há dúvida que, ou é ingenuidade levada ao máximo, através a sórdida caduquice de Pétain, ou então, e isso é o certo, trata-se de cinismo o mais rematado, de falta de vergonha a mais total...

Vichy e os seus sub-homens receiam um levante popular. Vichy se admira de que, apesar das novas medidas da polícia e das forças de ocupação, da Gestapo e da SA,* os prisioneiros consigam fugir e a revolta popular aumente gradativamente, dia a dia. Por outro lado, Vichy confessa que as organizações subterrâneas dos franceses unificaram-se, estão agora, trabalhando unificadas, cooperando umas com as outras, e isso piorou muito a situação dos títeres hitleristas do governo quinta-coluna.

A nós, nada disso pode admirar: nem a resistência nem a revolta do povo francês, nem o trabalho subterrâneo dos patriotas, nem as fugas organizadas dos presos políticos antifascistas, nem o fracasso da polícia da Vichy e da Gestapo que não pode controlar o povo francês. Nada disso nos pode admirar, como amanhã não nos vai causar surpresa o levante de todos os povos europeus, quando os exércitos aliados penetrarem no continente.

* Respectivamente a polícia secreta e a milícia paramilitar na Alemanha de Hitler.

Essa revolta todos nós, antifascistas, a sabemos inevitável. Sabemos perfeitamente que o povo não se entrega nem se rende, que os países europeus não foram conquistados, foram vendidos pela quinta-coluna e que o povo nunca pactuou com essas sujeiras... Nós sempre acreditamos no povo, sabemos que nele reside a força imortal das nacionalidades, do progresso e do futuro. Nós sabemos que o povo é inconquistável, ele é a própria liberdade. Uma vez Castro Alves escreveu que a liberdade, mesmo quando atirada ao chão e pisoteada, do chão se levanta cada vez mais forte. Assim é o povo. Oprimido, escravizado, atado aos troncos do nazismo, ele não se conforma, não se entrega, não se decide a sofrer em silêncio e sem reação à escravatura. Levanta-se uma e mil vezes, sabota, conspira, luta, até que chega um dia em que a revolta se torna geral e explode... A França vendida e ocupada é um grande exemplo dessa verdade. Não se entregou jamais. Enquanto De Gaulle salvava a honra do Exército que os Pétains humilharam nos dias da entrega, o povo resistia, era o mesmo maravilhoso povo de 1789. E hoje Vichy confessa que, realmente, não conseguiu o apoio do povo, que este está em estado de revolta...

Essa é a única coisa que nos pode surpreender: a surpresa de Vichy. Será mesmo que Vichy esperava o apoio do povo, será mesmo que o velho detraquê esperava palmas à sua desonra e apoio a sua traição?

São falsas essas lágrimas de Vichy. Tão falsas quanto as dos muniquistas que lastimam Roma e nunca lastimaram Londres, nem Chongqing, nem Varsóvia... No fundo, Vichy sempre compreendeu que o povo era seu inimigo. Apenas os de Vichy pensavam que o nazismo era eterno, que Hitler era imortal e os sustentaria para sempre. Essa é que foi a ingenuidade dos sub-homens de Vichy.

CAIU MUSSOLINI
26/7/1943

UMA COISA É NECESSÁRIA: QUE O FASCISMO, SEJA SOB QUE NOME SEJA, NÃO PERDURE NA ITÁLIA. Não basta a queda de Mussolini, cuja renúncia dada por Vítor Emanuel o rádio anuncia no domingo de sol claro. Essa é uma excelente notícia, sem dúvida. Já o bobalhão, que usava sangue italiano para sua maquiagem de palhaço, não arrota suas imbecilidades sobre a pátria de Dante, da poesia e da arte. Sua demissão foi assinada pelo velho rei amedrontado, suando frio, com medo do povo, já que esse rei não soube fazer do seu cargo um uso digno, ancião que enxovalhou, com sua triste decadência, o povo italiano.

Porém isso não é bastante. O fascismo é um método de opressão, de escravatura dos povos, de terror, de obscurantismo, de desgraça. Não são os homens, dois ou três, que possibilitam a existência do fascismo. Não é de Mussolini, de Hitler e de Franco que decorrem o fascismo, o nazismo e o falangismo. Não. Do fascismo, do nazismo e do falangismo é que decorrem Mussolini, Hitler e Franco. É necessário extinguir da face da terra o nazifascismo e os seus métodos, suas teorias de governo, suas maneiras de agir, seu pavor à cultura, à liberdade humana. É preciso não deixar que o muniquismo salve o espírito do fascismo, que substitua, numa manobra fácil, um fascista demasiadamente conhecido por outro menos desmascarado.

Que Badoglio, general do *fascio*, espada a serviço de Mussolini, não seja apenas uma máscara para a conservação desse espírito fascista que o muniquismo tenta salvar a todo custo para desgraça da humanidade.

Até o momento em que escrevo, os telegramas são poucos e breves: Mussolini passou o governo a Badoglio. Boa notícia, sem dúvida. Mas, para inteira alegria, é necessário que estas novas sejam acompanhadas de outras que nos digam que o regime democrático foi novamente instaurado na Itália, que novamente o povo italiano pode se manifestar, que não é mais o espírito fascista de Mussolini quem domina o governo de Roma e, sim, o espírito livre de Garibaldi. É preciso que, com Mussolini, caia o fascismo e tudo que ele representa!

ANIVERSÁRIO
12/8/1943

COMEMORAMOS HOJE UM TRISTE ANIVER-SÁRIO. FOI A 13 DE AGOSTO DE 1942 que os nazis torpedearam o *Cayrú*, no início dos seus crimes contra o Brasil, tentando ame-drontar-nos para assim impedir que tomássemos o único cami-nho digno e justo que nos restava: o da solidariedade continental e da solidariedade com os povos livres na luta contra a barbárie. Sucederam-se os torpedeamentos dos nossos pacíficos navios e o povo veio à rua, clamando pela guerra, resposta que a nossa hon-ra exigia. E a guerra foi declarada, o Brasil formou desde então ao lado das democracias empenhadas na luta de vida e morte contra o nazifascismo.

Eu estava então em terras estrangeiras e vivemos, os brasilei-ros antifascistas que se encontravam no Uruguai, horas de an-gústia ao saber que as vidas dos nossos irmãos estavam sendo sacrificadas pelos miseráveis hitleristas com a colaboração dos integralistas, nefanda quinta-coluna. Hoje nos encontramos to-dos no Brasil, lutando lado a lado com o povo contra os escravo-cratas, e, ao recordarmos aqueles dias lutuosos, devemos marcar o caminho que já temos andado, no sentido de uma intervenção ativa na guerra. Sem falar na contribuição da marinha e da avia-ção na luta anti-submarina, na vigilância das nossas costas, sem falar na nossa contribuição em matérias-primas para o abasteci-mento das Nações Unidas, basta o fato de estarmos preparando um corpo expedicionário para intervir nas batalhas da segunda frente, conforme pede o povo, para demonstrar que não estamos em guerra simbolicamente. Esse é desejo da quinta-coluna. Nes-se sentido ela desenvolveu grande campanha, tentando fazer da nossa declaração de guerra uma simples farsa, sem nenhum re-sultado prático. Porém o povo se bateu sempre pela guerra ativa, pela intervenção das forças armadas no conflito, pelo envio de soldados brasileiros para os campos de batalha. E o governo atendeu ao povo e já se anuncia, oficialmente, a próxima partida daqueles que vão levar a nossa bandeira aos campos de luta, honrando o nosso passado e possibilitando uma pátria livre aos nossos filhos.

O combate à quinta-coluna tem igualmente se desenvolvido, o que não quer dizer que ela esteja liquidada. A existência de submarinos ainda na nossa costa, torpedeando, um ano após os crimes de agosto passado, outros navios nossos, é uma prova da existência de uma quinta-coluna ativa, a serviço desses piratas nazis. Combater a quinta-coluna até a sua total liquidação é um compromisso que devemos tomar quando recordamos os dias trágicos de 1942.

Há dias foi o *Bagé*. Os assassinos nazis ainda infestam os nossos mares, apesar da severa vigilância da marinha de guerra e da FAB. Mas não abaterão o nosso ânimo combativo, não impedirão que cumpramos o nosso dever, que lutemos com todas as nossas forças pela vitória da democracia, da liberdade contra os monstros nazi-integralistas.

NECESSÁRIA E URGENTE

18/8/1943

TERMINADA COMO ESTÁ A CAMPANHA DA SICÍLIA, MESSINA EM MÃOS ALIADAS, resta-nos esperar, no mais breve prazo, a segunda frente. Não acreditamos que seja outro o motivo das conversações do presidente Roosevelt e do primeiro-ministro Churchill. Essa abertura da segunda frente tem sido o maior motivo dos jornais nos últimos tempos e sobram razões para isso. Ela é necessária e, mais que necessária, é urgente. Só há u'a maneira de ganhar rapidamente a guerra, de decidir o conflito antes que a fome abata o ânimo dos povos oprimidos que querem se libertar: é colocar Hitler e seus exércitos entre duas frentes de batalha.

A frente russa está sendo para o cabo Adolf uma triste experiência. Os avanços soviéticos que tomam Kharkov e ameaçam Briansk e Smolensk destroem toda e qualquer esperança de um inverno tranqüilo para os germano-fascistas na imensa frente leste. O inverno se anuncia para os alemães como os prenúncios de uma tragédia sem precedentes. Desastre militar que deixará longe o de Napoleão em 1812.

É necessário refletir, porém, que os russos estão fazendo sacrifícios sem conta para manter a ofensiva, que estão sustentando o peso de milhões e milhões de soldados veteranos de muitas campanhas, no momento mais desesperado da guerra. E que, por outro lado, os povos europeus estão sendo sugados nas suas matérias-primas, na sua comida, e na vida dos seus homens e mulheres, pelos invasores alemães que lançam mão de todas as riquezas desses países para alimentar seus exércitos e lançam mão dos homens para escravizá-los nas fábricas vazias de operários que foram transformados em soldados. E esses sacrifícios só poderão ser aliviados com a abertura, no mais breve prazo, da segunda frente. Ela virá decidir a guerra e virá principalmente fazer com que os povos reforcem sua confiança nas Nações Unidas. Por mais brilhante que seja qualquer campanha militar, enquanto ela não se desenvolver em território do continente europeu, os povos não a considerarão satisfatória. A segunda frente é um imperioso desejo dos povos que querem assistir à rápida liquidação de Hitler e do seu regime, e também dos regimes que se basearam sobre o nazismo e o fascismo. Ao demais, todos nós sabemos que aquelas mesmas forças que fizeram as fileiras dos quinta-colunas em todo o mundo estão hoje — ante o inevitável da derrota de Hitler e Mussolini — formando uma nova frente contra a liberdade, uma frente que não mais se diz fascista nem simpatizante do fascismo, mas que conserva todos os objetivos e todos os métodos da direita que produziu Hitler e Benito. Toda a demora fortalece esses elementos retrógrados, cuja ação se faz sentir nos diversos países das Nações Unidas, dos Estados Unidos à Inglaterra, numa ofensiva contra a união dos aliados, contra a Carta do Atlântico, contra os povos europeus. Todos esses problemas exigem que a segunda frente seja imediatamente aberta.

Os aliados estão a poucos quilômetros do continente. Messina é o trampolim. Todo o mundo democrático tem os olhos voltados para Roosevelt e Churchill na certeza de que dessa conferência resultará a segunda frente que nos trará a paz e a liberdade, a democracia para o mundo e a alegria para o coração dos homens.

BALANÇO DE ANIVERSÁRIO
22/8/1943

COMEMORAMOS HOJE O PRIMEIRO ANIVER-
SÁRIO DA NOSSA DECLARAÇÃO DE GUERRA às potências agressoras do Eixo — Alemanha e Itália. Revidávamos assim os ataques à nossa soberania, concretizados no torpedeamento de
vários navios mercantes, no assassinato de centenas de irmãos
brasileiros em conspiração forjada com a ajuda do integralismo
contra nossa independência. No momento em que celebramos
esse acontecimento devemos fazer um balanço da cooperação já
prestada pelo Brasil às Nações Unidas e do que ainda nos resta
realizar como tarefa nascida dos compromissos assumidos no
ano passado. Só um pessimista sem remédio poderia dizer que
não fizemos nada. A nossa contribuição tem sido grande: bases
(não esquecer a importância de Natal para a invasão da África),
ajuda à campanha anti-submarina com a marinha de guerra e a
FAB, preparação do exército através a mobilização que tem sido
feita — convocações e voluntariado —, ajuda em matérias-primas, que é inestimável. Na frente interna o combate à quinta-
coluna prosseguiu e, entre os nomes de patriotas a destacar nessa campanha, o do chefe de polícia do Distrito Federal, coronel
Etchgoyen, não pode ser esquecido. O processo da união nacional, apesar de todas as vacilações de certos grupos, continua em
marcha, ajudado em muito pelos discursos do presidente da República pronunciados em 11 de maio e em Volta Redonda. O clima político do país ganhou uma nova intensidade, possibilitando
o debate de acontecimentos e idéias, marcando o início de uma
maior participação do povo, ao lado do governo, na solução dos
problemas ligados à guerra.

Ainda nos resta muito que fazer, no entanto, muitos compromissos a saldar. O maior deles é o envio de soldados brasileiros
para a luta na Europa e isso é coisa decidida (o que representa

uma derrota enorme da quinta-coluna que pregava a guerra simbólica), já os chefes militares o têm declarado mais de uma vez. Na frente interna a continuação da campanha contra os elementos nazi-integralistas se impõe como uma necessidade nacional. A união de todos os brasileiros patriotas, união em marcha, necessita para alcançar a meta a que se propõe — a vitória completa sobre o nazifascismo e a conquista da independência político-econômica do país — que os grupos fascistas ou fascistizantes sejam esmagados por completo. Já, por várias vezes, falei aqui na frente que os quinta-colunistas, com os muniquistas e todos os elementos interessados na existência de um clima reacionário de opressão e de terror sobre o mundo, estão organizando, não mais para ganhar a guerra ao lado de Hitler, pois essa guerra já está perdida, mas para ganhar uma paz contra os povos, paz que possibilite a continuação do fascismo no mundo. Em torno dessa frente estão se unindo hoje todos os elementos que ontem simpatizavam com o nazifascismo, num novo agrupamento de forças obscurantistas contra a liberdade. São elementos até ontem eixistas que se transformam hoje pela força dos acontecimentos em democratas de uma democracia a mais suspeita, uma democracia à Franco e à Badoglio. Só uma unidade nacional consciente e forte, reunindo em torno ao presidente da República todas as forças vivas e verdadeiramente patrióticas da nação, poderá combater essa nova máscara daqueles que num plano internacional possibilitaram a existência de Adolfs e Benitos.

Esses são os nossos problemas primordiais ao iniciarmos o segundo ano de guerra: envio de soldados brasileiros para os campos de batalha e liquidação da quinta-coluna e da mentalidade fascistizante, que tentam ainda se opor às forças da liberdade que esmagam as do nazifascismo em tantas batalhas vitoriosas em todas as frentes.

Muito fizemos já e muito ainda temos que fazer. O mesmo entusiasmo e o mesmo sadio patriotismo que nos levaram à guerra devem nos animar a continuá-la até a total exterminação do nazifascismo e suas quinta-colunas.

PERSPECTIVAS
5/9/1943

CAEM AS PRIMEIRAS CIDADES CONTINEN-
TAIS DA ITÁLIA EM MÃOS DOS ALIADOS. A campanha da Europa
se inicia sob o signo da vitória. Os nazifascistas falam de recuos
para o norte onde o passo do Brennero seria intransponível. Mas
toda a Europa é território inimigo, e ninguém crê que os aliados
se dêem por satisfeitos com a invasão da Itália. E, somente nesse
caso, a intransponibilidade do passo do Brennero teria importância. Não é ali que se vão travar as batalhas definitivas da guerra,
na segunda frente. Esta será aberta em vários pontos do continente. Não teremos uma frente só, na Europa. Teremos a frente
da Itália, a frente da França, a frente dos Bálcãs, a frente da Noruega, possivelmente. E assim sendo, desaparece a importância
que os inimigos queiram dar a determinado ponto da batalha,
isolando-o do total, como se ele somente existisse.

A invasão da Itália é muito mais importante do que pode parecer, à primeira vista. Não é ela apenas um prelúdio de outras inva-
sões de maior eficiência militar. Mais que isso, nos apresenta ela
outros ângulos — militares e políticos — que lhe emprestam uma
significação muito ampla.

Em primeiro lugar temos a seguinte conseqüência política:
derrubado Mussolini, o povo italiano veio à rua pedir paz e liquidação do fascismo: Badoglio (e o pequeno Emanuel) negaram-
lhe as duas coisas. O povo voltou-se então para os aliados e entrou num período pré-revolucionário. A invasão da Itália vem em
auxílio desse movimento popular, possibilitando recrudescimen-
to, dando-lhe um amparo, fazendo com que cresça a confiança
dos povos oprimidos nas afirmativas das Nações Unidas. A invasão da Itália ajudará o povo a liquidar o fascismo ou qualquer governo tapeativo que tente, como Badoglio, continuar a tradição
de Mussolini. Ajudará a mais rápida democratização do país.

E arrancará a Itália da guerra, numa paz de rendição incondicional do fascismo, colocando suas bases à disposição dos aliados, que terão assim ampliado seu raio de ação sobre a Europa. Essa retirada da Itália do conflito servirá, por outro lado, como elemento destruidor da moral nazista. É preciso não esquecer que a Itália é, na Europa, a mais poderosa aliada de Hitler. A repercussão da sua derrota será imensa nos arraiais nazifascistas, por mais que ela seja esperada.

Finalmente, não podemos desprezar um fator militar que possui sua importância: de uma ou de outra maneira, recuando até os Alpes ou lutando no sul da Itália, os nazistas têm que manter na Itália certo número de tropas que poderiam estar ou na frente leste ou guarnecendo outro ponto da Europa a ser invadido.

Como se vê, a invasão da Itália pelos aliados é uma grande notícia. Não devemos subestimá-la. Resta-nos esperar, para que ela possa surtir o máximo de efeito, que não tarde a invasão dos outros pontos do continente, obrigando Hitler a deslocar duas ou três dezenas de divisões da frente leste. Se isso for feito imediatamente a guerra terá se aproximado grandemente de um fim rápido, de um fim em poucos meses, talvez.

COMEÇOU A DEBACLE
9/9/1943

OS TELEGRAMAS SENSACIONAIS ENCHEM AS MANCHETES DOS JORNAIS NAS EDIÇÕES EXTRAS: a Itália pediu a paz, rendeu-se incondicionalmente! Ante a ofensiva dos exércitos anglo-canadenses através o seu território continental, ante as derrotas sofridas pelo fascismo na África e na Sicília, ante as derrotas estrondosas que os soldados da União Soviética infligem aos exércitos nazistas na frente leste, o marechal Badoglio, que antes tentara manter sua fidelidade ao parceiro Hitler, resolveu atender aos desejos do povo italiano e solicitar o armistício. O povo italiano nas ruas reclamava a paz e a liquidação do fascismo, enquanto os soldados se entregavam em massa aos exércitos libertadores. Badoglio foi levado à paz pelo povo da Itália e pelos soldados anglo-canadenses em ofensiva.

Ainda não conhece o mundo os termos do armistício assinado. E possivelmente nos dias próximos só os termos militares serão conhecidos. Ao que dizem os telegramas, só os governos da Inglaterra, dos Estados Unidos e da União Soviética estão a par de todos os detalhes da rendição da Itália. No entanto, não é difícil prever nesse caso, já que são vários os elementos com que contamos para imaginar as conseqüências político-militares da retirada da Itália do conflito. Podemos calcular desde logo que as forças reacionárias do muniquismo tudo farão para manter no poder Badoglio com uma ditadura semelhante à de Ramírez ou à de Franco na Argentina e na Espanha e para impedir que o povo se manifeste. Mas essas forças não poderão dominar a situação, pois os governos aliados que estão a par das negociações têm que cumprir a Carta do Atlântico que é o regulamento das Nações Unidas para a paz.

Assim sendo, ou Badoglio evolui e inicia e completa rapidamente a liquidação que ainda não quis fazer do fascismo, estabelecendo na Itália um regime democrático, chamando o povo a expressar seus desejos e a eleger seus governantes, ou cairá, arrastando na sua queda tão provável a fragilíssima casa real de Savóia, que o fascismo quis transformar em casa imperial... Politicamente, é isso o que terá que suceder na Itália. Nenhum governo que recorde o terrorismo fascista se agüentará no poder. Não poderá contar nem com o apoio do povo italiano, nem pode esperar o apoio das Nações Unidas que lutam pela autodeterminação dos povos, pelo restabelecimento da democracia no mundo.

Militarmente não é menos importante a rendição da Itália. Parte-se o Eixo, Adolf perde seu mais poderoso parceiro europeu. As bases italianas serão utilíssimas aos aliados. É o vice-versa da queda da França. Desaparece essa frente de batalha, facilitando enormemente a invasão de outros pontos do continente, já que não será necessário gastar mais de 1 milhão de soldados em luta na Itália.

Começou a debacle nazifascista. Na frente russa os alemães vão de recuo em recuo. Hoje foi a vez de Roma. Não tardará a vez de Berlim. A liberdade reinará novamente sobre a face da terra!

SUCEDEM-SE OS ACONTECIMENTOS
10/9/1943

AMONTOAM-SE E SUCEDEM-SE OS ACONTE-CIMENTOS SENSACIONAIS NOS DIAS QUE VIVEMOS, a guerra começa a se aproximar do fim e traz no seu ritmo uma série de notícias que merecem comentários e esclarecimentos. Enquanto na frente leste os soviéticos conquistam cidades e mais cidades, limpando de alemães a área do Donets e rompendo a linha do Dnieper num espetacular avanço para as fronteiras, a Itália rende-se incondicionalmente e os Estados Unidos revidam com uma nota áspera e até violenta, um pedido de armamento feito pelo governo ditatorial de Ramírez, que sucedeu à presidência pró-eixista porém constitucional de Castillo.

Destas mesmas colunas, quando do golpe que derrubou o velho latifundiário da Casa Rosada, comentei o fato afirmando que se tratava de um golpe de direita, contra os partidos democráticos e populares da Argentina que se uniam para ir às eleições próximas com um candidato único que derrotaria fatalmente o candidato oficial, o sinistro Patrón Costas. A nota do governo norte-americano, que leva a assinatura de Cordell Hull, não deixa dúvidas quanto ao caráter antidemocrático do governo Ramírez. Não tenho lembrança de nota diplomática tão despida de convencionalismos e de gentilezas insinceras quanto esta. É uma tremenda acusação ao governo de Ramírez que pedia armas para não haver "um desequilíbrio no armamento latino-americano". Mais tremenda ainda é uma nota publicada pela revista norte-americana *Time*, onde são relatados fatos sucedidos nos últimos meses no país vizinho. Na nota é clara a acusação de manifesta tendência totalitária do governo recém-implantado.

E um telegrama de ontem dava o deputado Raúl Damonte Taborda, líder democrático muito conhecido, como tendo sido feito prisioneiro. Não podemos prever as conseqüências dos últimos acontecimentos da Argentina. Uma coisa posso afirmar com conhecimento de causa: se existe um povo democrático, um povo que odeia as tiranias e que odeia o nazifascismo e seus similares, esse povo é o argentino. Sempre esteve ele ao lado das Nações Unidas contra o Eixo. O governo Castillo não representava o pensamento do povo argentino. E — segundo a nota de Cordell Hull — tampouco o representa o atual governo.

Essa importante nota do Departamento de Estado ianque não teve a devida repercussão, já que na mesma ocasião a Itália se entregou. Muita gente discute com desconfiança o armistício agora celebrado entre as Nações Unidas e a Itália. Pensam alguns tratar-se de uma paz de compromisso. Creio que isso não se dá e a melhor prova é o perfeito entendimento sobre o assunto dos três países mais diretamente interessados no problema europeu: a Inglaterra, a União Soviética e os Estados Unidos. Esses três governos aprovaram os termos do armistício e ditarão eles os termos da paz. Não se trata, ao que tudo indica, de uma paz de compromissos. É uma paz de rendição incondicional e o povo italiano será chamado, sem dúvida, a decidir dos seus destinos. Nenhum soldado aliado irá garantir Badoglio ou Vítor Emanuel. A sorte destes e dos demais homens públicos da Itália está em mãos do povo italiano.

No momento em que escrevo sucedem-se os boatos que talvez não tardem a ser confirmados: invasão da França, possível renúncia de Hitler, possível renúncia do gabinete argentino.

Os fatos agora fornecem assuntos em excesso aos comentaristas. Foram-se os dias de calmaria militar e política nos cenários de guerra.

A ITÁLIA E A CARTA DO ATLÂNTICO!
13/9/1943

AS NOTÍCIAS ÚLTIMAS CHEGADAS DA ITÁLIA MOSTRAM-NOS A PENÍNSULA à beira da guerra civil. Ou seja: os italianos se dividem para lutar, uns ao lado dos soldados anglo-americano-canadenses, outros ao lado dos exércitos hitleristas. Duas bandeiras irão na frente dos homens das democracias e das feras do nazismo e ambas serão empunhadas por italianos. É necessário, porém, estabelecer claramente quais os homens que ficarão de um e outro lado. Do lado das democracias, à frente dos soldados das Nações Unidas, quem iremos encontrar? Encontraremos o povo italiano, representado por seus partidos políticos, surgidos da ilegalidade de vinte anos, poderosos e combativos, as classes média e operária, as mais sacrificadas pelo fascismo, os homens das profissões liberais, os sábios e os artistas. Do lado do nazismo encontraremos os remanescentes do partido fascista, os muniquistas mais ardentes, os teóricos do terror e os práticos do óleo de rícino, os nobres mais feudais, todos aqueles que viviam do fascismo e que sabem que, num regime democrático, não sobreviverão.

Alguém pode dizer que muniquistas se encontram ao lado das democracias, e alguns até nas posições mais importantes do governo. Poderiam ser citados Badoglio e a casa real de Savóia que apoiaram e usufruíram do fascismo, durante largos e penosos (para o povo) anos. É verdade: o muniquismo já não se joga por inteiro nas aventuras de Hitler. A facção mais inteligente procura, prudente e apressadamente, alistar-se sob a bandeira das Nações Unidas, na esperança de fazer prevalecer amanhã, no dia da paz, seus pontos de vista retrógrados, obscurantistas e terroristas, sobre a Carta do Atlântico, que assegura aos povos autodeterminação e as quatro liberdades fundamentais. Porém, essa adesão de Badoglio e outros recém-vindos do fascismo não nos deve levar a um alarme. Pela simples razão de que é o povo quem, em última instância, vai resolver. Basta recordar o caso Darlan-Giraud, onde o primeiro foi para o reino dos céus (paz à sua alma!) e o segundo foi vencido em toda a linha por De Gaulle, que tinha o apoio do povo. De um povo oprimido, sob a dominação estrangeira. Badoglio deu um golpe muniquista ao derrubar Mussolini, pensando numa paz em separado, paz de compromissos, que o mantivesse com uma ditadura no poder. Seu golpe foi útil às democracias porque criou na Itália um ambiente propício ao povo que pôde se manifestar, levando-o a exigir a paz. Badoglio teve que aceitar, não a paz de compromisso que esperava, mas uma paz de rendição incondicional, teve que abrir luta contra os alemães, teve que reconhecer a existência dos partidos políticos, isso é, do povo italiano. Agora ele foge de Roma assaltada pelos alemães e trata de organizar outro governo. Já esse seu novo governo não poderá ser, como o anterior, u'a máscara do fascismo. Badoglio, se pensa em continuar por algum tempo como primeiro-ministro, terá que ir buscar nos partidos italianos democráticos os elementos constitutivos do seu ministério. O povo italiano toma agora armas pela democracia contra o nazismo, e isso levará a Itália à democratização. Que ganhou Badoglio, e com ele o muniquismo, nesses dias, desde a queda de Mussolini até hoje? Nada, só fez perder. E o povo tem ganho, força, nas agitações de rua e agora na luta armada, e imporá sua vontade. Na Itália o muniquismo tenta romper a Carta do Atlântico. Mas o povo a empunha, essa é sua bandeira de luta e na Itália começarão as derrotas muniquistas na batalha pela paz que se trava dentro da guerra!

A BATALHA DA INGLATERRA
26/9/1943

HÁ TRÊS ANOS LONDRES ERA BOMBARDEA-
DA DIA E NOITE PELA AVIAÇÃO ALEMÃ QUE NAQUELE tempo
parecia invencível. O marechal Goering balançava as medalhas
sobre a barriga e ria alvarmente ao constatar, nas estatísticas da
morte, as ruínas de Londres, os ingleses assassinados, as crianças sem lar, os velhos que assistiam aos mais dramáticos espetáculos no fim das suas vidas. O marechal Goering ria feliz e
anunciava a Hitler a próxima derrota da Inglaterra, vencida pela força aérea nazista.

O nome da cidade de Londres será recordado eternamente
pela humanidade feliz do futuro. Ali a liberdade ganhou a sua
primeira grande batalha. Ganharia a segunda em Stalingrado.

A epopéia do povo inglês foi escrita com sangue, sangue de
homens, de mulheres e crianças. Foi escrita sobre casas, palácios,
choupanas, igrejas, bibliotecas, teatros, sobre monumentos,
custou lágrimas sem fim. O povo inglês provou que sua fibra era
invencível. Um exército imenso, exército civil, se formou para a
defesa das cidades. Bombeiros, homens especialistas em tornar
inúteis as bombas mais terríveis, mulheres que socorriam os feridos, gente que removia escombros. O povo inglês, unido e forte, foi um exército cujo ânimo jamais se abateu. Grande e admirável povo! Os bombardeiros nazistas, antes dos aviões ingleses,
encontraram no seu caminho a decisão de vitória da Inglaterra
inteira.

Repelidos os homens e as mulheres da farsa degradante de
Munique — os Chamberlains e as ladys Astor —, o povo inglês
era como uma só pessoa, animada de um único desejo: sobreviver ao ataque brutal, enquanto as máquinas produziam os aviões
necessários ao domínio do ar. Foi esse glorioso povo quem im-
pediu que os nazis, conquistada a Inglaterra, se lançassem nos

caminhos da América, obra que a Rússia concluiu com sua estupenda resistência.

Poucas vezes assistiu o mundo a um espetáculo tão magnífico como o deste povo altivo que não deixou morrer nos lábios o sorriso de desafio, que inventava pilhérias e anedotas nos abrigos antiaéreos, que jamais acreditou que a opressão vencesse a liberdade, que o passado vencesse o futuro. Grande povo! A nossa dívida para com os ingleses é dessas que não se pagam senão com muito amor, com muita compreensão, com o máximo auxílio à causa da democracia, que é a deles e a nossa.

Numa frase genial Churchill resumiu a epopéia da batalha da Inglaterra: "Nunca tantos deveram a tão poucos". Devemos ao povo inglês a possibilidade de que a luta continuasse, de que hoje o nazismo esteja vivendo seus dias finais. A Batalha da Inglaterra é página imortal que os poetas cantarão no futuro e as crianças estudarão como medida da grandeza humana!

CORRESPONDENTES DE GUERRA
3/10/1943

ENTRE OS HERÓIS DESTA GUERRA PELA LIBERDADE — ENTRE OS GUERRILHEIROS, os aviadores, os oficiais e soldados dos comandos, entre os voluntários das defesas passivas das cidades inglesas e soviéticas, entre os generais, almirantes, soldados e marinheiros — devemos inscrever os nomes dos correspondentes de guerra. Três deles vêm de morrer agora na frente italiana, em Nápoles, quando procuravam informar o público mundial sobre as derrotas dos nazistas. Três novos nomes a juntar aos muitos jornalistas, homens de diversas pátrias democráticas, ingleses, russos, americanos, que já deram sua vida pelo bem da humanidade, neste conflito que é de todos os homens e de todas as classes, no qual, segundo o título de um livro excelente de um correspondente de guerra, "só as estrelas são neutras". Os estados-maiores e os povos têm tido nos correspondentes de guerra extraordinários auxiliares na tarefa de derrotar o nazifascismo. Lutam eles com as suas tremendas armas, pena que vale um fuzil, máquina de escrever que vale u'a metralhadora. Muitas vezes, porém, ao acompanhar os soldados das Nações Unidas nas diversas frentes, na África, na Sicília, na Rússia, na Itália, na Ásia, têm trocado a pena e a máquina de escrever pelo fuzil dos soldados, lutando como qualquer um deles, porque nesta guerra os jornalistas não são observadores frios, são apaixonados lutadores.

Vi o telegrama que anunciava a morte dos três correspondentes de guerra na frente de Nápoles, quando terminava a leitura de um volume escrito exatamente por um desses jornalistas que estão nas frentes de batalha. Já disse o seu título linhas atrás: *Only the stars are neutral*. "Só as estrelas são neutras", afirma Quentin Reynolds, um dos maiores ases da sua profissão, mestre do moderno jornalismo, líder católico norte-americano, escritor agradabilíssimo. Esse é um dos livros que já publicou sobre a guerra: narra suas experiências na batalha de Londres (não se cansa ele de repetir que foi o povo inglês quem venceu os aviões alemães), na batalha de Moscou e na batalha da África. O assalto a Dieppe iria lhe dar depois matéria para outro volume: *Invasão*, da qual apareceu não há muito uma tradução brasileira. Infelizmente ainda não traduziram o seu primeiro livro, esse emocionante relato em que desfilam homens e cidades, detalhes pitorescos e cômicos, diplomatas e generais, mas onde, acima de tudo, estão presentes os povos na sua decisão de vitória: o povo inglês em Londres bombardeada dia e noite, o povo russo em Moscou cercada, certos de que tinham que vencer o nazismo e decididos a realizar esta imensa tarefa como a realizaram.

Admirável livro que vale como a visão detalhada de uma fase cruel da guerra, quando os nazis estavam em ofensiva, e que é um documento impressionante do heroísmo dos correspondentes de guerra. Eu recomendo esse livro (do qual existe uma tradução espanhola: *Solamente las estrellas son neutrales*, Editorial Lautaro, Buenos Aires) a todos os meus leitores. Quentin Reynolds é de uma honestidade absoluta. Sua fé católica não o impede de ser o mais imparcial dos julgadores da Rússia, o mais entusiasta admirador de Churchill, o mais ardente antifascista.

Esta guerra, que ainda não produziu uma grande literatura de ficção (ainda não surgiu o Barbusse ou o Remarque da guerra atual), está produzindo uma interessantíssima e poderosa literatura, viva e emocionante, devida aos correspondentes de guerra. Heróis das Nações Unidas, desafiando a morte para servir aos povos e à liberdade!

O MOCINHO E O HERÓI
6/10/1943

PENSO QUE POUCOS TELEGRAMAS DA GUER-
RA DEVAM TER SIDO TÃO SIMPÁTICOS às moças quanto aquele,
recentemente publicado, que anuncia a entrega de uma condecoração militar ao capitão Clark Gable, aviador norte-americano, cujo comportamento na guerra tem sido heróico.

Poucos mocinhos do cinema têm o público desse artista que
agora coloca a serviço da liberdade, nos aviões de bombardeio,
todo o seu entusiasmo varonil, toda a sua fama também. Herói
de dezenas de filmes, representando quase sempre tipos fortes,
corajosos e dignos, com sua atuação na guerra prova que estava,
ao representar tais personagens, dentro da sua realidade humana. As moças de todo o mundo que viam em Clark Gable seu
ideal masculino através de figuras que ele criava na tela, têm agora maior motivo de orgulho: na vida real o seu ídolo é realmente um herói, sua vida pode desde estes dias de guerra ser colocada no mesmo nível daqueles personagens que ele representou
com tanto talento artístico. Gable honra ao demais Hollywood
com sua atuação na guerra, honra os artistas que, diga-se de passagem, têm se colocado numa magnífica posição nesta contenda
entre a liberdade e a opressão.

E não podia ser de outro modo já que a experiência do cinema em mãos do fascismo e do nazismo foi a mais trágica possível. O cinema italiano, que chegou a ser o primeiro do mundo
em determinado momento, literalmente desapareceu com a vitória do fascismo. E o cinema alemão que era insuperável na criação de grandes dramas, de onde surgiram artistas e diretores extraordinários, também ele desapareceu quase totalmente com
Hitler no poder e Goebbels na direção da arte alemã. O coxo de
cinema não entendia nada. Em compensação soube roubar mulheres de artistas, colocando os maridos não conformados nos

campos de concentração. São histórias que todos sabem e nem vale a pena repetir.

O cinema americano, como o russo e o inglês, se colocou inteiramente a serviço dos povos e da liberdade contra a opressão. Seria longa a lista de atores que estão no front, de artistas que estão trabalhando para o esforço de guerra, de diretores que colocam toda a sua capacidade a serviço das Nações Unidas. Desde Leslie Howard, que faleceu outro dia, num desastre de avião quando seguia para a frente, até a Eisenstein, o grande diretor soviético, desde Clark Gable, agora condecorado, até Charles Chaplin, gênio da sétima arte que ridicularizou, em definitivo, os ditadores nazifascistas. Os artistas e diretores, as atrizes e os operadores cinematográficos se jogaram por inteiro na batalha que o mundo trava. Sejam aqueles, como Gable e Montgomery que estão lutando, sejam os que colaboram com sua arte, cantando e representando para os soldados, como Fredric March e o extraordinário negro Paul Robeson, sejam as atrizes que fazem as campanhas dos bônus de guerra no interior dos Estados Unidos.

Os mocinhos e as mocinhas, os vilões também, estão unidos e trocam o heroísmo da tela pelo heroísmo da realidade bélica. Agora a nossa admiração pelos artistas é ainda mais sólida e duradoira. Porque eles provaram que sabem defender com as armas a sua arte e a liberdade do mundo.

TITO E MIHAILOVIC
7/10/1943

O MELHOR EXEMPLO DO MUNIQUISMO QUE ALGUÉM PODE APRESENTAR HOJE AO mundo é, sem dúvida, aquele general iugoslavo de nome Mihailovic, que aparecendo como comandante de soldados democráticos negocia com os nazis. Em verdade o que representa o seu exército de 120 mil homens, exército que está eternamente aguardando ordens em vez de estar dando trabalho aos nazis como faz o general Josip Broz? Foi esse seu exército realmente criado para lutar contra os invasores e opressores de sua pátria ou é apenas uma espécie de enorme polícia de choque, pronta para impedir que — no momento final da batalha, quando os povos puderem decidir do seu destino — o povo iugoslavo estabeleça um governo realmente democrático nessa Iugoslávia onde a ditadura real tinha muito do fascista? Por que será que as forças nazifascistas tratam com tamanha consideração esse general, protegem-no, ajudam-no nas suas dificuldades e não o guerreiam numa tentativa para exterminá-lo? É que Mihailovic responde às mesmas forças que Hitler e Mussolini. Ele é uma garantia armada do muniquismo que pensa em derrotar os povos quando o fracasso militar do nazismo trouxer a paz. Da mesma maneira como em diversos outros países movem-se elementos pró-fascistas numa aproximação com as democracias, preparando-se para ocupar o poder quando o fascismo for derrotado, fazendo inútil todo o sacrifício dos povos, numa repetição em larga escala do caso Darlan.

Mas o muniquismo, substituto do fascismo, subestima os povos, a sua capacidade política e de luta. Vale a pena estudar a reação do povo no mesmo caso da Iugoslávia. Enquanto as forças opressoras e obscurantistas, os homens das casas reais, das fábricas de armas, os magnatas das finanças, todos os que desejam impedir de qualquer maneira uma verdadeira democracia, sustentam e apóiam um general Mihailovic, tentando transformá-lo num herói (no que fracassaram lamentavelmente), o povo reage criando um exército de guerrilheiros, de patriotas, de libertadores, garantia não só da luta contra o nazifascismo como da execução da vontade popular nos dias de amanhã.

Um só fato bastaria para provar que entre Josip Broz, o general Tito, e Mihailovic não pode haver termo de comparação em se tratando de sinceridade e amor ao povo e à pátria. Falo do crescimento dos seus exércitos. Mihailovic começou com cerca de 200 mil homens e apesar de não haver lutado aguardando eternamente ordens, suas forças se reduziram a 120 mil homens, pois os honestos o abandonaram ao verificar o que em realidade ele representa. Enquanto isso o grupo de guerrilheiros com que Tito iniciou sua luta libertária cresceu e se transformou num exército de 250 mil soldados aguerridos...

Também na Iugoslávia tem sido o muniquismo derrotado. Basta ver a maneira com que o rei Pedro, tentando salvar a monarquia, como Vítor Emanuel, trata hoje Josip Broz e seus patriotas, gente que ele desconhecia por completo há alguns meses, quando Mihailovic recebia os mais calorosos elogios da imprensa muniquista do mundo inteiro. Hoje já ninguém se engana em relação a esse general inimigo do seu povo. E o próprio rei é levado a fazer a apologia e a pedir o apoio de Josip Broz que o governo da Iugoslávia — cópia do fascismo italiano — condenou à morte anos antes...

CHAMAVA-SE GASTELLO
10/10/1943

AGORA QUE OS ALEMÃES RECUAM EM TODA A EXTENSÃO DA FRENTE LESTE, COMO, ALIÁS, recuam na frente italiana, vale a pena transcrever o trecho de um diário encontrado em julho de 1941, um mês após a invasão da Rússia pela Alemanha. Trata-se do diário de um cabo nazi, de nome Handschun, morto na frente de batalha de Smolensk, na primeira batalha pelo domínio da grande cidade, quando os alemães dela se apossaram. A vitória, agora vingada, coube aos nazis e parecia entregar-lhes a cidade de Moscou e toda a Rússia. Foi para os democratas o mais trágico momento da batalha da frente leste, quando muitos pensaram que o germano-fascismo ia obter na União Soviética uma vitória igual às da Polônia e da França. Hoje estamos longe desse momento e desse pensamento. Hoje vemos que o exército nazista jamais poderia, nem poderá vencer o exército soviético. Por isso mesmo vale a pena transcrever o trecho do diário do cabo Handschun, pois ele explica em muito o porquê dessa impossibilidade de uma vitória nazi sobre o povo russo.

No dia 15 de julho de 1941, o cabo Handschun escrevia no seu diário, livro onde anotava para deleite futuro de seus netos, donos do mundo (assim pensava ele), os acontecimentos bélicos do dia na campanha que Hitler declarava que seria um simples passeio de poucas semanas e se transformou num pesadelo de anos, o seguinte comentário a uma ação guerreira:

O quinze [sic] regimento de infantaria decidiu que fôssemos com dois pelotões tomar parte na ocupação de Smolensk. Devíamos defender a tropa contra os aviões em vôo baixo. As nossas máquinas marchavam em filas, sendo assim ótimos objetivos para os aviões. De repente um alarma. Chegam dois aviões e nós os tiroteamos. Começa a arder o motor de um deles. A princípio o aviador tenta voltar para sua base. Porém logo depois regressa e descendo mais e mais se acerca ousadamente de nossas máquinas. Vem quase ardendo. Do aparelho se desprendem duas bombas e depois o avião se lança sobre nós. A queda dura um segundo e meio. Se eleva até o céu uma coluna de fogo grande como uma casa. A benzina se derrama e tudo se incendeia em torno. Enorme nuvem de fumo envolve nosso primeiro pelotão. Pedaços do aparelho ardendo caem entre nossos caminhões e máquinas. Próximo a um canhão antitanque começam a estalar projéteis. Inúmeros soldados sofreram queimaduras terríveis. Horrível espetáculo. Nunca esquecerei esse dia. Um aparelho derrubado não compensa tantas vítimas.

Eis o que escreveu o cabo Handschun. Dias depois morria na frente de Smolensk. E agora, quando Smolensk é libertada, o governo russo consegue estabelecer a identidade do aviador que ao ver perdido seu avião e sua vida aproveitou os seus últimos momentos e as suas últimas possibilidades para causar o maior dano possível aos nazistas invasores da sua pátria. Chamava-se Gastello, capitão de aviadores. Homens como esse não podem ser vencidos pelas bestas nazis, por mais poderosa que seja sua máquina bélica.

CRIME CONTRA A CULTURA
15/10/1943

ENTRE OS TELEGRAMAS QUE ANUNCIAM OS FATOS SENSACIONAIS DO DIA, as vitórias soviéticas que se sucedem, os avanços anglo-americanos, a nova posição da Itália, o puxão de orelhas que o governo inglês deu no rei Vítor Emanuel, que teima em assinar-se imperador da Abissínia e rei da Albânia, aparece um despacho lacônico e perdido entre as novas militares e políticas. No entanto esse telegrama é portador de uma notícia da maior importância para o mundo culto, pois se refere a um dos maiores homens do nosso tempo: Romain Rolland, escritor francês, prêmio Nobel, imortal criador do *Jean-Christophe*, ciclo de romances que corresponde no nosso século à *Comédia humana*, de Balzac. Os alemães mantêm num campo de concentração nas piores condições de vida, a um dos mais altos vultos da literatura mundial em todos os tempos. Isso é o que nos informa o despacho e de certa maneira não nos surpreende, já que Romain Rolland, ao contrário de todos os Maurois e Zweigs, tomou desde há muito uma posição decidida na luta antifascistas. Esse grande e genial escritor não se deixou trancar na "torre de cristal" dos Paul Valérys. Muito ao contrário, se colocou inteiramente ao lado do povo francês na sua luta por um mundo melhor e mais justo. Basta recordar sua posição em 1914, quando da grande guerra inter-imperialista. Então Romain Rolland defendeu a paz, porque aquela guerra era contra os povos, indistintamente. Já a sua posição ante a guerra atual, guerra justa dos povos contra o nazifascismo, contra os inimigos da liberdade, da democracia, da cultura, foi a de apoiar a luta contra Hitler e Mussolini. Romain Rolland é o mais ilustre filho da França, daquela França das artes, da literatura e da beleza. Tem 77 anos de idade e seu nome é símbolo da grandeza e da dignidade do intelectual. Da sua capacidade de servir ao povo e de transformar sua pena numa arma de combate. Eis por que não nos admira que os alemães tenham colocado o grande romancista num campo de concentração, sem levar em conta nem a sua importância intelectual nem a sua idade avançada.

Porém, se não nos surpreende a atitude dos nazis, nem por isso deixa de nos revoltar. Romain Rolland é patrimônio de toda a humanidade culta. A ele devemos uma das maiores obras de criação de todos os tempos. Devemos igualmente a este escritor o exemplo magnífico da sua vida pura e digna, da sua atuação infatigável ao lado do povo, contra os inimigos da humanidade. Ele não é apenas da França e da cultura francesa. E os nazis quando o atingem na sua sórdida vingança, no seu ódio orgânico contra a cultura e a beleza, estão atingindo a toda a humanidade a quem Romain Rolland serviu com o seu gênio.

Esse é mais um crime contra a cultura a juntar aos inúmeros que os bandidos nazis têm cometido nesta guerra. Um crime que terá de ser julgado e vingado. E mais um motivo para que nós, escritores, lutemos com o máximo das nossas forças contra o nazifascismo e seus sucedâneos igualmente terroristas e obscurantistas.

Referindo-se certa vez a um dos grandes heróis do nosso tempo, Romain Rolland escreveu: "Ele nos é sagrado. Pertence a toda a humanidade. Quem o golpeia, golpeia a toda a humanidade". Palavras que podemos repetir a respeito do próprio Romain, neste momento em que os nazis o golpeiam, golpeando toda a humanidade culta!

OS ARTISTAS MODERNOS DO BRASIL E A GUERRA
19/10/1943

OS ARTISTAS PLÁSTICOS MODERNOS DO BRA-SIL VÊM DE ENVIAR PARA LONDRES uma exposição de pintura. Os quadros serão expostos na capital inglesa e vendidos em benefício da RAF. Querem assim os renovadores da pintura nacional prestar seu concurso, o concurso da sua arte, nesta guerra contra as forças inimigas da beleza e da cultura. Vários desses pintores já estavam concorrendo, por intermédio de sua pintura, para a vitória das democracias sobre o nazifascismo. Basta recordar a importância antifascista da pintura de um Lasar Segall ou de um José Pancetti, ou as admiráveis caricaturas que diariamente Augusto Rodrigues publica na imprensa do país, satirizando os nazis. Agora congregam-se todos eles para enviar a Londres a maior exposição de pintura moderna que já saiu do país. Terão assim os ingleses oportunidade de conhecer o movimento pictórico brasileiro no que ele tem de mais expressivo (a pintura brasileira moderna pode-se considerar das mais interessantes da América), e prestam os artistas brasileiros justa homenagem ao povo inglês que com tanto heroísmo vem se batendo pela humanidade. O dinheiro angariado com a venda desses quadros será transformado em aviões que irão destruir as indústrias bélicas dos germano-fascistas, defendendo, em última instância, a própria arte, cuja existência os nazis ameaçam.

Os nomes mais ilustres da pintura brasileira se reuniram nessa demonstração de que a arte brasileira não é neutra na guerra entre a democracia e o nazifascismo. A começar dos grandes mestres, Segall, Pancetti, Tarsila, Portinari, Di Cavalcanti, continuando com Flávio de Carvalho, o admirável Flávio de tão ativa e fecunda vida artística, Carlos Prado, Quirino da Silva, Alberto Guignard, Santa Rosa, Osvaldo Goeldi, Scliar, Roberto Burle

Marx, Percy Deane, Rubem Casa, Carlos Leão, Paulo Werneck, Oswald de Andrade Filho, Manuel Martins, Rebolo Gonsales, Edith Bhering, Odete de Freitas, Noêmia, Bonadei, Volpi, Zanini, Percy Lau, Lucy Citti Ferreira e vários outros. Pode-se dizer que nenhum artista moderno do Brasil, nenhum pintor realmente digno desse nome, deixou de contribuir para essa exposição de guerra, da qual resultarão aviões para a RAF. É mais que um gesto, é um exemplo magnífico, que os artistas nacionais, os homens que renovaram a arte pictórica brasileira dão aos de outras profissões. Foi-se o tempo em que o artista vivia isolado do mundo, trancado na sua torre, a pintar naturezas-mortas e nus. Hoje o artista encara a vida frente a frente, sua arte se humanizou, está envolvido nos problemas dos demais homens. E assim sendo não podia deixar de estar presente nesta guerra que não só decide do destino de nações e povos mas também do destino da arte.

Na mensagem que acompanha os quadros, dirigida ao povo de Londres, escreveram os artistas modernos do Brasil:

> Como artistas, foi a melhor maneira que achamos de expressar aos ingleses a nossa admiração e solidariedade, e esperamos seja nosso gesto apreciado no seu sentido moral e simbólico mais do que pelo seu valor material. É para nós motivo de orgulho saber que nos achamos ao lado do povo inglês na luta contra a barbárie nazifascista. Estamos convencidos de que o povo britânico está defendendo acima de tudo a dignidade do homem, o patrimônio do espírito e as conquistas da democracia.

BIBLIOTECA DO COMBATENTE
27/10/1943

ENTRE AS VÁRIAS BENEMÉRITAS CAMPANHAS DA LEGIÃO BRASILEIRA DE ASSISTÊNCIA, nenhuma pode merecer tanta simpatia dos homens que escrevem quanto esta da Biblioteca do Combatente. Campanha nacional, ela se destina a formar bibliotecas ambulantes para os nossos soldados. Se é um dever de todos ajudá-la, é, especialmente, um dever dos escritores e dos jornalistas. Os que, como eu, vivem daquilo que escrevem devem ser os seus mais entusiastas cooperadores. Foi Castro Alves quem escreveu nos versos talvez mais populares do romantismo brasileiro, esse romantismo ao qual ele deu força social e ao qual misturou os grandes problemas do Brasil e do mundo:

Oh! Bendito o que semeia
Livros... Livros à mão cheia...

Isso foi escrito num poema onde o destino da América era ligado ao livro, à cultura irmã da liberdade. Nesse mesmo poema onde ele — numa previsão genial dos dias de hoje, do nazifascismo — fala contra a "espada de Roma":

Leoa de ruiva coma
De presa enorme no chão,
Saciando o ódio profundo...
— Com as garras nas mãos do mundo.
— Com os dentes no coração...

No mesmo poema onde, com uma antecedência de setenta anos, o imortal baiano traçava o retrato da Alemanha de Hitler:

...tirania feudal

levantando u'a montanha
em cada uma catedral...

E a elas opunha, como arma das Américas livres, o livro que educa, esclarece e faz pensar. O livro que é o destino dos povos que não querem ser escravos.

Nossos soldados tiveram sempre, nesse exército brasileiro de tanta responsabilidade histórica, uma ligação imediata com os livros. Basta recordar dois momentos grandiosos: o da República, quando uma geração militar era a flor da cultura brasileira, geração da qual foi companheiro e mestre o grande Benjamin Constant. Quando os soldados derrubaram a monarquia e fizeram a República não foi num simples desejo de reivindicações imediatas, numa luta de grupos. Não. Eles haviam aprendido liberdade nos livros, e os cadetes da escola militar eram moços que estavam a par da mais moderna cultura européia de então. Recordo outro momento: aquele que formou a geração tenentista, a que, nascida do livro, se atirou à tarefa de levantar, discutir e resolver imensos problemas brasileiros. Aquele que, após várias revoluções, chegou ao poder em 30, abalando os alicerces de problemas que pareciam enterrados na indiferença e no desinteresse.

Hoje, mais do que nunca, os nossos soldados merecem a solidariedade, a estima e o carinho dos brasileiros. Eles se preparam para lutar longe das nossas fronteiras. É o mesmo ideal de liberdade aprendido nos livros que os leva, representantes dos sentimentos mais arraigados do povo brasileiro, a combater o nazifascismo obscurantista. De muitas coisas necessitavam eles que encham de útil maneira o tempo que lhes sobre das tarefas militares. Uma dessas coisas é o livro. A Biblioteca do Combatente é a campanha que vai reunir e fornecer esses livros. Obrigação de cada um de nós é apoiar com o máximo entusiasmo essa campanha. Mandemos livros para os nossos soldados! Chega-nos de longe essa ordem. Vem de Castro Alves, o poeta que profeticamente cantou os acontecimentos que estavam por vir.

A CARTA DA VITÓRIA
4/11/1943

ESTÃO DE PARABÉNS OS POVOS, OS LIVRES E OS QUE SOFREM AINDA A opressão do nazifascismo agressor, porque agora um estatuto rege não somente a guerra como delimita as perspectivas da paz. Os três ilustres homens de Estado que se reuniram em Moscou, Eden, Molotov e Cordell Hull, auxiliados por diplomatas e peritos militares, por um Litvinov e um Harriman, realizaram a mais sensacional conferência de todo o período da guerra. Nela não foram assinadas apenas as sentenças de morte de Hitler e dos seus cúmplices, como foi estabelecido o código que regerá a paz do mundo.

Alguns homens devem estar nos dias presentes sofrendo agudamente aquilo que se chama pavor. Seria fácil escrever vários nomes. Homens que governam, uns sob as normas fascistas, outros sob a imediata proteção das armas nazistas, outros ainda mascarados de neutros. Bastaria citar, como exemplo, Franco ou Pétain, para os quais o momento em que foi divulgado o comunicado conjunto dos Estados Unidos, da União Soviética e da Inglaterra foi um trágico momento. A Conferência de Moscou* marca o fim dos tiranos nazifascistas e dos ditadores fascistizantes. Marca também o início de uma era de liberdade e de esperança para os homens.

Vários acontecimentos haviam feito levantar uma série de suspeitas, que habilmente a quinta-coluna explorava, sobre a capacidade dos aliados na solução dos problemas que a vitória acarreta. O muniquismo, por um lado, tentava uma paz de compromisso com o nazifascismo. A quinta-coluna, por outro lado, explorava a

---

* Conferência de outubro de 1943 em que foi feita a primeira menção, por parte dos signatários da Carta do Atlântico, à criação de uma organização internacional cujos princípios norteadores seriam a paz e a segurança internacionais. Vale ressaltar que houve outro evento com o mesmo nome pouco tempo depois, em 1944, no qual se fez a partilha de zonas de influência entre Churchill e Stálin.

adesão aos aliados dos Badoglios e dos Darlans de todos os países, dizendo que os povos seriam logrados e a paz se realizaria contra as suas aspirações. A Conferência de Moscou veio liquidar toda essa sórdida especulação.

Os chanceleres das grandes nações, com o apoio da China, decidiram que nenhuma paz antidemocrática poderá ser feita. Nenhuma paz contra os povos. Nenhum aventureiro, dos muitos que usaram métodos fascistas e se babaram de amores pelo Führer, irá dominar governos à base de adesões de última ou penúltima hora. O mais típico caso de adesão de um fascista à causa das democracias, é o de Badoglio. E a conferência garantiu ao povo italiano o direito a um governo realmente democrático, realmente antifascista, realmente popular. O exemplo da Itália serve para o mundo inteiro. Nenhuma tirania perdurará. Os povos, estejam em guerra ou se mantenham neutros, decidirão amanhã sobre os seus governantes. Da mesma maneira a garantia que foi oferecida à Áustria serve para todos os países sob a tutela da Alemanha nazi. Todos eles recobrarão sua independência.

Os criminosos serão castigados. Mesmo que, no último momento, virem a casaca, numa tentativa de salvar a cabeça. Não adiantará nada aos generais do Reich derrubar Hitler porque nem assim escaparão de pagar pelo sangue que derramaram.

As três nações que chefiam os aliados saíram desta conferência unidas como nunca. Seus pontos de vista sobre os problemas da guerra e da paz são acordes: terminar a guerra quanto antes (garantia da segunda frente) e resolver de comum acordo os problemas da paz (garantia de democracia e liberdade para o mundo de amanhã). A Carta da Vitória, nome que está merecendo o texto das declarações de Moscou, reafirma os pontos de vista da Carta do Atlântico e dá uma categoria definitiva às quatro liberdades de Roosevelt que agora são a bandeira das Nações Unidas contra o fascismo. Nenhum governo pode mais negar aos seus filhos essas liberdades!

UM ANIVERSÁRIO
17/11/1943

QUANDO AS BESTIAIS TROPAS DO REICH IN-VADIRAM AS PÁTRIAS EUROPÉIAS, esmagando, ao passar das suas botas, todas as liberdades populares, asfixiando o pensamento e assassinando friamente homens, mulheres e crianças, a esperança chegava pela voz das rádios livres. Basta ler qualquer dos volumes sobre a França ocupada, a Bélgica violentada, a Holanda escravizada, para se poder observar a importância da rádio sobre a moral dos povos oprimidos. No meio do mar de mentiras espalhadas pela propaganda nazifascista, a verdade chegava diariamente, através as irradiações das estações dos países que sustentavam a luta pela liberdade. A rádio de Argel mais recentemente, a Rádio Central de Moscou, as rádios clandestinas e, desde os primeiros dias, a BBC de Londres, estação que vem de comemorar seu vigésimo primeiro aniversário.

Quando tudo parecia perdido, quando já a esperança abandonava muitos corações, quando a noite de terror parecia eterna, foi, em grande parte, essa estação de rádio que sustentou a moral dos povos europeus. Ouvir as suas irradiações era um ato heróico, já que as penas mais severas castigavam os ousados que desejassem conhecer a verdade sobre a marcha de guerra. Foi a BBC quem narrou para os europeus a resistência de Londres e a decisão inglesa de continuar a guerra até a vitória final. Foi através a BBC que a campanha do V* se popularizou em toda a Europa, irritando os nazifascistas, mostrando-lhes que os povos não se rendiam. Foi através a BBC que o general De Gaulle falou para a França, afirmando que a República Francesa não estava morta.

---

* Campanha lançada em janeiro de 1941 pelo ex-ministro da Justiça belga Victor de Laveleye, na época refugiado em Londres. Em seu programa diário numa rádio belga, Laveleye conclamou os europeus que se opunham ao nazismo a utilizar a letra V — de *vrijheid* ("liberdade", em flamengo) e de *victoire* ("vitória", em francês) — como sinal de união.

Depois, quando Hitler invadiu a União Soviética, na mais trágica das suas aventuras, foram as rádios livres e clandestinas, entre elas a BBC, que trouxeram os povos oprimidos informados da extensão do desastre nazi. Reunidos em torno aos seus aparelhos de rádio, nos locais mais diversos, nos esconderijos mais secretos, homens e mulheres iam buscar material para os jornais clandestinos, para alentar a esperança de milhões, para continuar a luta pela vitória. Um grande papel teve a rádio nesta guerra. E o nome da BBC (iniciais célebres hoje no mundo todo) se transformou num brado de guerra. Significava para os alemães um terrível inimigo, cuja ação se estendia sobre todos os países e sobre milhões e milhões de seres. A ela se juntaram muitas outras rádios. Hoje Moscou e Argel são igualmente ouvidas pelas populações famintas de verdade da Europa nazificada. Hoje, várias rádios clandestinas levam, desde os países oprimidos até o mundo livre, notícias da resistência dos povos na Iugoslávia, na França, na Itália, na Dinamarca, na Tchecoslováquia, na própria Alemanha.

No aniversário da BBC devemos comemorar o papel desempenhado pela rádio nesta guerra. Formidável arma da democracia, da liberdade e do povo!

NOITE SEM LUA

21/11/1943

AINDA HÁ POUCOS DIAS EU ESCREVI NESTAS COLUNAS O NOME DE JOHN STEINBECK, citando-o entre os romancistas que trocaram, neste momento do mundo, o trabalho de criação novelística pela tarefa da reportagem de guerra. Falava nele, em Ehrenburg, em Caldwell, em Cholokhov. Hoje volto a falar em Steinbeck mas para dizer do romancista, do romancista em função da guerra. Não é só como repórteres agilíssimos, como articulistas esclarecedores que os romancistas estão servindo à causa dos povos, à liberdade. Também o fazem na sua função de romancistas.

A queda da França deu a Ehrenburg material para um romance notável: *A queda de Paris*. Os guerrilheiros russos serviram a Erskine Caldwell para uma novela onde a poesia se confunde com o drama. A invasão de uma pequena cidade é o tema deste romance de guerra de John Steinbeck: *Noite sem lua*, que Monteiro Lobato vem de traduzir para o português. Nesses três romances, nascidos da guerra atual, existe uma coisa que os liga, que lhes dá certo parentesco: a certeza de que a opressão e a barbárie não triunfarão sobre a liberdade.

Apesar de não definir o país onde decorre a ação de *Noite sem lua*, Steinbeck nos leva, pelos nomes dos personagens, pela sua psicologia também, a pensar que uma pequena cidade da Noruega ou da Dinamarca seja o ambiente onde nasce e cresce esse ódio contra os nazistas invasores e opressores, onde se levanta, com uma beleza extraordinária, a luta anônima, luta de todos, desde o prefeito ao mineiro, luta que encurrala os conquistadores. "São moscas que conquistaram um papel pega-moscas", eis como o romancista define a situação dos nazis cercados pelo ódio e pela vingança da população dominada, não porém vencida.

Recordo alguns artigos de críticos norte-americanos que li quando do aparecimento da edição original deste livro. Talvez nenhum romance de Steinbeck, nem o delicioso *Tortilla flat* [*Boêmios errantes*] nem o dramático *Vinhas da ira*, tenha sido tão discutido. A crítica acusava o romancista de haver feito doces demais as figuras dos invasores. Mas creio que isso veio dar uma realidade ainda mais densa e mais profunda ao romance. Steinbeck desejou mostrar que o nazismo (a brutalidade, o assassínio, a opressão) não é inerente ao ser humano, ao homem. É como uma capa que eles vestiram e que os obriga a agir de determinada maneira. Apenas o capitão Loft é um fanático. O coronel Lanser, veterano da outra guerra, com a experiência da Bélgica invadida, é um cético em relação às medidas nazis. Como soldado ele as cumpre, mas é um alemão culto e melancólico, mais um sacrificado ao nazismo que mesmo um representante de Hitler. Os jovens tenentes, medrosos e alarmados, são símbolos desta geração alemã que o nazismo sacrificou às suas nefandas teorias.

Ao lado desse triste grupo se ergue a humanidade da pequena cidade invadida. Uma gente igual à de todas as cidades pequenas, mas que se agiganta, que cresce em heroísmo, que, sem armas e sem recursos, luta vitoriosamente contra os nazistas. Entre essa gente avultam as figuras de Annie e de Molly, criações que recordam as mais poderosas do grande romancista norte-americano. Há no livro momentos de surpreendente beleza, como toda a cena final, dominada pela lembrança da acusação de Sócrates aos seus juízes. Também a cena entre Molly e o tenente Tonder. Como romancista ou como repórter, John Steinbeck está cumprindo seu dever, num exemplo aos intelectuais que ainda não tomaram conhecimento da guerra.

DE LONDRES A BERLIM
27/11/1943

A AVIAÇÃO ANGLO-AMERICANA VEM DE REA-LIZAR FORMIDÁVEL OFENSIVA CONTRA BERLIM. Poderosíssimas cargas de bombas foram despejadas sobre a capital do nazismo pelos aviadores aliados. A destruição é enorme e as perdas tão avultadas como nem as de Londres durante a blitz aérea de 40.

O dr. Goebbels saiu dando desculpas tolas, prometendo vinganças muito vagas. Coisas que não consolaram ninguém na capital arrasada. O marechal Goering, homem de muitas medalhas obtidas durante a paz e de muita bazófia também, que certa vez levantara peito e voz para declarar que a aviação aliada jamais bombardearia Berlim, esse não disse nada. Hitler tampouco falou. A não ser que tenha dito ao general que, na frente leste (ah! esses russos que não deixam margem para um avançozinho...), lhe foi transmitir a fúnebre notícia da capital.

— Não me amole... Já tenho muito em que pensar...

Ao povo alemão preferiu não dizer nada. O povo está fugindo de Berlim, já não acredita nas defesas antiaéreas da cidade e muito menos no poderio da Luftwaffe. Cada qual quer é escapar e um diplomata teve que andar nove quilômetros a pé para poder tomar um trem. O que é que Hitler iria dizer a esse povo, após tanto desastre junto? Os ditadores só podem falar na hora das vitórias. Não existe entre eles e o povo aquela solidariedade, aquela estima mútua que os une ainda mais na hora da derrota e do perigo, povo e líderes democráticos. Como falavam, de maneira realista mas confiante, nos piores momentos de Londres, os líderes britânicos ao seu povo que sorria sobriamente e trabalhava para impedir os efeitos terríveis da blitz aérea lançada contra a sua capital. Como falavam os líderes russos ao povo de Moscou, nos momentos em que o exército nazista cercava a cidade e ameaçava suas defesas. Jamais poderá Hitler falar ao povo nesses momentos, porque ele não representa o sentimento popular, ele é a antítese do povo.

Tampouco o general Franco pediu dessa vez o abrandamento dos bombardeios contra o Eixo. O general nazifalangista já sabe que seus pedidos e suas lágrimas nada adiantam. Não há uma só pessoa no mundo que dê crédito ao mandante dos raides contra Barcelona.

Os serviços antiaéreos de Berlim não funcionaram perfeitamente. Ao contrário do que acontecia em Londres, o povo não tomou parte na defesa da cidade contra os aviões aliados. O povo só pensou numa coisa: fugir. Os nazis tiveram de recrutar prisioneiros de guerra e trabalhadores estrangeiros para as tarefas de apagar incêndios, inutilizar bombas, socorrer feridos. É claro que esses prisioneiros e esses escravos estrangeiros fizeram a máxima sabotagem que lhes foi possível.

O povo alemão já não crê na vitória. E só uma coisa começa a preocupá-lo seriamente: fugir. Fugir seja para onde for, porque sabe que o fim está próximo. Que diferença vai de Londres para Berlim, bombardeadas! Numa era a resistência, a certeza da vitória final, o ideal que conduzia à luta. Na outra é o pavor, a certeza da derrota, nenhum ideal que dê forças para a batalha!

AS CAMISAS ENTERRADAS
28/11/1943

NO CEARÁ ENCONTRARAM, ENTERRADAS
NUM BURACO, CAMISAS e insígnias integralistas. Enterradas, porém não destruídas. O dono de tais enfeites verdes estava evidentemente embaraçado, sem saber o que fazer deles no momento. Por outro lado não estava disposto a queimá-los, certo de que camisas e insígnias ainda viriam a ter utilidade. Eis aí um exemplo claro, a atitude integralista no Brasil, a atitude fascista nos países onde se desenvolve a guerra contra o Eixo: esconder as camisas e as insígnias, guardá-las bem guardadas, esperando o momento em que possam voltar a reluzi-las ao sol meridiano. Esse acontecimento do Ceará não é uma coisa isolada, é apenas o símbolo de um fenômeno mundial.

Ainda outro dia um integralista brasileiro, que se encontrou no estrangeiro, num congresso de educação, sustentou teses perfeitamente fascistas. Esse mesmo integralista havia escondido sua camisa, há tempos, através uma entrevista ao *Diário de Notícias*, do Rio de Janeiro, na série "Por que deixei de ser integralista". Na verdade não deixou coisa alguma. Apenas escondeu a camisa, as insígnias, engoliu, por uns tempos, o "anauê" e encolheu o braço. Mas o sonho de voltar a reluzir as camisas não morre no estômago dessa gente.

No mundo todo. É aí que surge o chamado muniquismo. Todos aqueles militantes e simpatizantes de todos os fascismos, os parafascistas e os filofascistas, se reúnem para impedir que, no enterro de Hitler e Mussolini, sigam os caixões que conduzem o terror, o obscurantismo, a barbárie, a exploração e a reação fascistas. Não importa a queda do nazismo, desde que não seja ele sucedido por uma verdadeira democracia, desde que os germens de uma nova era fascista permaneçam.

Os fascistas não pensam, em geral, no povo. São u'a camarilha, uma minoria não seleta, e jamais conta o povo nos seus cálculos. Desprezam, odeiam e subestimam o povo. Esse erro fundamental é que põe abaixo os cálculos nazifascistas. Da mesma maneira como um popular descobriu, no quintal de uma casa de Fortaleza, as camisas escondidas, os povos de todo o mundo arrancam as máscaras muniquistas de todos os fascistas, agora subitamente ao lado das democracias. O povo não vai permitir que eles continuem, após a guerra, a fazer seu sujo jogo contra a liberdade e o bem-estar populares. Serão descobertas as camisas escondidas.

Seja o integralista cearense ou seja o general Pietro Badoglio, seja o rei Vítor Emanuel ou o sr. San Tiago Dantas, ex-Câmara dos Quarenta.* Sobre isso não há dúvida. As camisas apodrecerão nos esconderijos. Não chegará, novamente, a época desse trágico carnaval de feras nazifascistas!

---

* Órgão de cúpula da Ação Integralista Brasileira, partido fundado por Plínio Salgado em 1932.

CRIMINOSOS
5/12/1943

FLANDIN, BOISSON E PEYROUTON FORAM PRESOS E SERÃO JULGADOS, POR ORDEM do Comitê Nacional de Libertação Francesa. Outros conhecidos colaboracionistas sofrerão idêntico destino, dizem os telegramas. A política do comitê se dirige a uma ampla limpeza nos meios franceses, castigando os criminosos que levaram a grande pátria latina à triste situação em que se encontra hoje.

Boisson é tão culpado quanto qualquer Daladier, perante o povo francês. Pois bem, esse inveterado noivo de todas as direitas, de todos os fascismos, surgiu, de repente, transformado em governador da África francesa, quando, num golpe de mágica, Darlan abandonou Berlim pensando que no clima das democracias poderia conservar suas teorias de opressão brutal. É claro que os povos do mundo protestaram e o povo francês antes que todos. Ninguém admite uma política de concessões aos inimigos dos povos.

Ninguém aceita Badoglio ou Flandin, Vítor Emanuel ou Franco. Os muniquistas ficam catando homens que abandonem as fileiras nazistas para introduzi-los, como cunhas, em meio aos aliados, procedendo assim a uma desmoralização da guerra perante os povos. Mas não têm se dado bem. Cadê Darlan? Cadê Giraud? Cadê Badoglio? Cadê Vítor Emanuel? Darlan foi assassinado pelos seus próprios ex-correligionários, Giraud conserva um posto simplesmente militar e não muito seguro, Badoglio e Vítor Emanuel são criaturas atualmente quase tão desmoralizadas quanto o general Franco. Ainda mantêm uns restos de poder mas já estão certos de que será por pouco tempo.

Restam muitos outros, no entanto, espalhados por este vasto mundo. A cada dia que passa, porém, mais forte se torna a aliança dos povos e mais clara a política democrática das Nações Unidas. Os encontros dos grandes líderes dos Estados Unidos, da União

Soviética, da Inglaterra e da China concorrem para que se defina a posição dos povos perante todos aqueles que têm crimes contra a democracia. O Comitê Nacional de Libertação Francesa inicia a tarefa de julgar criminosos. É curioso notar que, no mesmo momento em que isso acontece, os governos de Ramírez e de Franco perseguem os franceses livres. É que a quinta-coluna, como o muniquismo, é fenômeno internacional e quinta-colunistas e muniquistas da Espanha e da Argentina sentem-se solidários com seus colegas franceses.

Em nenhum país do mundo talvez tenha sido tão torpe a ação da quinta-coluna. Os entregadores de pátrias agiram, ali, deslavadamente. Nos meios civis e militares. E agora tentam todos, inclusive Pétain, o imundo, embarcar nos triunfos democráticos. Não será possível. São criminosos. O julgamento e o castigo os esperam. O Comitê Nacional de Libertação Francesa começou o primeiro ato do grande drama. Os autores de crimes contra o povo serão castigados. É longa a lista, mas nenhum será esquecido.

OS ESTUDANTES NORUEGUESES
7/12/1943

MILHARES DE ESTUDANTES NORUEGUESES FORAM LEVADOS PARA OS CAMPOS DE concentração da Alemanha, isto é, para as torturas, as humilhações, a morte, porque se manifestaram contra o governo de Quisling, a dominação nazista, porque deram de público provas de apoio às Nações Unidas, sabotando o poder germânico em sua pátria invadida.

A Suécia, onde os estudantes se movimentaram em defesa dos seus colegas, num belo gesto de solidariedade, protestou ante o governo do Reich. Ribbentrop, ex-vendedor e contrabandista de champanha, recusou o protesto sueco e "admirou-se de que esse país se envolvesse na política da Noruega", sua vizinha. Só não deve admirar a ninguém que os alemães se envolvam na política norueguesa, a ponto de prender e assassinar seus estudantes. A Noruega é um dos mais tristes casos da ação da quinta-coluna, paga com o dinheiro de Berlim. Quisling imortalizou-se pela infâmia e seu nome transformou-se num símbolo de tudo que é degradante.

Não há terror nazifascista, por mais brutal e violento que seja, que possa calar a voz vibrante dos moços. Os estudantes provam na Noruega que a mocidade repudia o nazismo e a quinta-coluna, que, mesmo sob a dominação germânica, lutam incansavelmente pela liberdade, pela democracia, pelos aliados.

Nas mãos do nazismo a juventude alemã se transformou em simples agrupação de títeres, sem vontade, sem cultura, sem amor aos livros e aos grandes ideais. Hitler acenou com o domínio do mundo aos jovens do seu país, inebriou-os com essa idéia, perverteu-os. Muitos crimes pesam sobre o nazismo. Um deles é haver pervertido toda uma geração de jovens alemães. E no terreno internacional todos os fascismos que surgiram do ascenso hitlerista tentaram envenenar a mocidade, desviando-a dos seus caminhos justos, do seu entusiasmo pelas grandes causas humanas, da sua vocação irremediável para a liberdade.

A mocidade, porém, não se deixou embair pelos cantos de sereia dos Plínios. É claro que também entre os jovens existem aqueles que trazem o coração cheio de ambição mesquinha, de torpes desejos. Porém esses que forneceram aos integralistas de toda a parte, os seus líderes juvenis. A maioria dos jovens, no entanto, conservou-se fiel aos característicos anseios de liberdade que marcam todas as gerações de jovens.

Os estudantes noruegueses correm perigo de vida. Nos campos de concentração o menos que lhes pode acontecer é a morte. As torturas físicas e morais são o cotidiano que os espera. Nada disso foi, entretanto, suficiente para lhes abater a força combativa. Honram eles os jovens de todo o mundo. Honram sua pátria e seu tempo. Amanhã, quando chegar a hora do castigo, os estudantes de todas as pátrias, não só os da Noruega e os da Suécia, pedirão aos criminosos contas dessas vidas, desses estudantes noruegueses, exemplo de dignidade e patriotismo.

TEERÃ SIGNIFICA LIBERDADE
9/12/1943

AS NAÇÕES UNIDAS ESTÃO APROVANDO AS DECISÕES DA CONFERÊNCIA de Teerã, não com um simples e protocolar apoio diplomático, mas com entusiasmo. Entre as nações que assim o fizeram se encontra o Brasil. O ministro Aranha comunicou que recebera a mensagem onde Roosevelt, Stálin e Churchill transmitiram as decisões a que haviam chegado e declarou o inteiro acordo do Brasil a essas decisões. Foi num momento de festa intelectual e as palavras do ministro brasileiro mereceram prolongados aplausos. Essa é a atitude dos povos do mundo ante as decisões de Teerã que lhes garantem uma "paz que seja a expressão da vontade esmagadora das massas populares de todo o mundo", como reza textualmente o comunicado oficial.

A Conferência de Teerã vem garantir o programa mínimo dos povos em luta: a autodeterminação, enunciada na Carta do Atlântico, e as quatro liberdades fundamentais de Roosevelt. Garante a eliminação da tirania, da escravidão, da opressão, da intolerância. Esse trecho do comunicado oficial dos três grandes líderes democráticos não se dirige apenas contra a Alemanha de Hitler ou o que resta da Itália de Mussolini. É o enterro de qualquer pretensão muniquista de manter métodos fascistas no mundo de amanhã. Quer dizer: não será possível, nos dias futuros, quando esteja o nazifascismo militarmente derrotado, a existência de qualquer governo que não seja a expressão da vontade do povo e que não conceda ao seu povo as quatro liberdades fundamentais. A Conferência de Teerã reafirmou aos povos em luta contra o imperialismo germano-fascista a certeza de que não estão lutando em vão, de que um mundo melhor sairá da fogueira da guerra, nascido dos sacrifícios que a humanidade vem fazendo. A certeza de que nenhuma tirania perdurará, de que a liberdade será a recompensa da batalha de hoje. Responde assim às manobras dos homens de Munique que solertemente se esgueiravam pela porta da guerra para a festa da paz, no interesse de perturbá-la, de comer os melhores doces do banquete. A Conferência de Teerã é a última pá de terra sobre Hitler e sobre Mussolini, sobre Pétain e sobre Quisling.

Mas é, igualmente, a última pá de terra sobre Badoglio e Vítor Emanuel, Franco e Giraud, Oto da Áustria e os nazistas antihitleristas da Alemanha. Depois da Conferência de Teerã, já não é possível aos fascistas italianos se mascararem com o título de "Partido Azurra" na Itália libertada. Permiti-lo é ir contra o espírito da declaração de Roosevelt, Stálin e Churchill. Já não é possível desconhecer o Comitê de Libertação Iugoslava, expressão da vontade do povo contra o muniquista Mihailovic. Ainda ontem Londres afirmava pela voz de um dos seus homens de governo: "Reconhecemos o rei Pedro mas apoiamos todos os grupos iugoslavos em luta. E são os iugoslavos que vão decidir, soberanamente, do seu futuro governo". Já não está a guerra, já não está o destino das nações nas mãos de uns quantos homens manejados por uns quantos interesses. A guerra e a paz estão nas mãos dos povos. Assim ficou resolvido na Conferência de Teerã. E de agora em diante Teerã significa liberdade!

PANORAMA
11/12/1943

ESTAMOS A DOIS ANOS DA AGRESSÃO JAPO-NESA AOS ESTADOS UNIDOS e a dois anos e meio da invasão da União Soviética pela Alemanha. Os acontecimentos sucedidos nesse tempo mudaram por completo a face da guerra. O Japão entrou na guerra quando lhe pareceu que a sua ação ia decidir o conflito, derrotando completamente as nações democráticas. Mas o carro de Hitler emperrou na frente leste e começou depois a dar marcha a ré. No Oriente, as forças japonesas, após as vitórias iniciais, devidas em grande parte à surpresa, começam a sofrer sérios reveses. O panorama da guerra mudou inteiramente, hoje a esperança de vitória dos nipo-nazifascistas sumiu quase por completo. O que podem eles ainda esperar?

Podem esperar uma guerra longa, que leve as nações democráticas ao cansaço e a uma paz de compromisso. Essa é a única perspectiva que resta a Hitler e a seus associados. E, por isso mesmo, devemos nos opor a qualquer possibilidade de prolongar a guerra. Uma política de guerra longa só seria útil à quinta-coluna. Abreviar a guerra, eis o que se faz necessário.

Vi ontem uma fotografia de Hitler saltando de um avião. Esperando-o está Mussolini, de braço levantado na saudação. Adolf nem olha para seu ex-sócio e atual criado. Magro e de face preocupada, o cabo que se transformou em comandante-em-chefe de um exército dito invencível parece nem ver aquele que foi sua melhor esperança e se transformou depois no seu maior fracasso político. Mussolini, na fotografia, é uma sombra do que foi. O ator aposentado está irreconhecível. Cadavérico e acabado. Simbolizam os dois a situação do nazismo e do fascismo. As derrotas militares e políticas se sucedem. Atingem uma órbita que vai alcançar até o governo do rei Pedro da Iugoslávia, contra o qual se levanta o Comitê Nacional iugoslavo, com Tito à frente. Não só os sócios da comandita nazifascista, como os seus simpatizantes, estão abrindo falência. A guerra encontra um caminho verdadeiramente democrático e segue por ele, em vitórias não só militares como políticas. A Turquia dá meia-volta na sua neutralidade tão necessária ao Eixo. Von Papen nada encontra que dizer, como explicação suficiente, ao seu patrão de Berlim. Na península Ibérica, Franco se abafa enquanto Salazar põe bases à disposição dos aliados.

Houve uma série de conferências. Os parafusos políticos estão ajustados. Vai começar o inverno na frente leste. A invasão da Europa, a campanha dos Bálcãs e a da França são coisas decididas. Os submarinos estão sendo vencidos. Quanto a mim, fico esperando o momento em que os telegramas comecem a trazer notícias de suicídios. Então poderemos todas as manhãs, ao chegar o jornaleiro, perguntar ao vizinho:

— Hoje, quem foi?

— Foi Laval...

— E amanhã, quem será?

Os que sobrarem provarão as cordas das forcas...

A UNIVERSIDADE
12/12/1943

A UNIVERSIDADE DE OSLO É, ATUALMENTE, UM MONTÃO DE RUÍNAS, TALVEZ ainda fumegantes. Os nazistas a incendiaram. Os nazistas alemães, representados pelos elementos da Gestapo, e os nazistas noruegueses, os partidários de Quisling, os da quinta-coluna. A estes entregaram os alemães da Gestapo a gasolina para o incêndio. E homens nascidos na Noruega, alguns que talvez houvessem estudado na universidade, tomaram do material incendiário e puseram fogo àquela casa do saber e da cultura. Porque a Universidade de Oslo era também uma casa da liberdade.

Os estudantes partiram, presos, para os campos de concentração. Os corações moços dos noruegueses se levantaram contra os opressores nazistas, contra seus servos da quinta-coluna. Na universidade, os velhos mestres haviam ensinado os grandes princípios da ciência, da literatura, e também da vida. Os estudantes sabiam que o nazismo é visceralmente inimigo da cultura, que é obscurantista, que deseja mergulhar o mundo na noite de uma nova Idade Média, onde somente uns poucos detenham o saber, como somente uns poucos detêm o poder. Eis o sonho do nazismo. Os moços noruegueses deviam viver na mais triste ignorância para que melhor pudessem ser dominados e dirigidos pelos moços nazistas alemães a quem os Rosenbergs, e outros San Tiago Dantas de lá, nutriam de teorias racistas. Quisling recebeu as moedas da traição e o poder no dia em que entregou seu povo de mãos atadas. Mas os moços não estavam de acordo. A Universidade de Oslo recordava outros princípios, princípios de dignidade e de honra, recordava lições inesquecíveis de liberdade.

Os estudantes partiram para os campos de concentração da Alemanha. Mas a universidade ficou. Para cada Quisling, para cada San Tiago Dantas que passava pela frente do majestoso edifício, a visão era trágica. A universidade, na mudez do prédio abandonado de estudantes, de mestres, a universidade fechada, era uma acusação em pedra e mármore, era um símbolo da Noruega inconquistada. Da Noruega que não se rendeu, a que ainda luta por mais dura e difícil que seja a luta.

Os noruegueses passavam em frente e na visão da universidade ganhavam ânimo para as atividades subterrâneas. Para a sabotagem, o assalto aos soldados inimigos, a liquidação dos traidores. E novos jovens surgiam nos protestos de rua, vindos ninguém sabe de onde, mas reunidos em torno à universidade, ligados a ela, à sua lição memorável.

Então os *quislings*, desde o maior até o mais miserável de todos, sentiram que era necessário destruir também a universidade, o prédio, a presença muda da pedra acusadora. A Gestapo, que ama os incêndios que destroem livros e cátedras, criadora dos novos autos-de-fé da moderna Inquisição, chegou célere com o material. Material que restara do incêndio do Reichstag. Os *quislings* tomaram dele. Talvez suas mãos imundas tenham tremido quando atearam fogo à universidade.

O nórdico vento frio da cidade de Oslo leva as cinzas pelo país da Noruega. Não importa que os estudantes e os mestres estejam presos na Alemanha. Não importa que a universidade tenha sido incendiada. As cinzas se espalham por toda a Noruega. E os patriotas se levantam, jovens e velhos, mulheres e homens, é um país inteiro, é todo um povo. O frio vento nórdico leva as cinzas ainda quentes, cinzas de livros, de cadernos de estudos, cinzas que atearão o fogo da revolta!

A QUINTA-COLUNA
16/12/1943

HÁ QUEM FALE DA QUINTA-COLUNA COMO COISA DO PASSADO. COMO SE O MONSTRO de mil cabeças a serviço do nazifascismo tivesse sido completamente esmagado com as medidas já tomadas. Esse é um trabalho da própria quinta-coluna. Criar certa mentalidade perigosamente otimista e facilmente capaz de olhar com benevolência os que ainda ontem gritavam o nome de Hitler num brado de guerra.

É como se a quinta-coluna houvesse subitamente acabado, subitamente tivesse extinguido o seu nefando trabalho, e se transformasse num rebanho de arrependidos, de ardorosos democratas, de torcedores ardentes da causa das Nações Unidas. Patriotas cruzaram os braços, cessando a necessária vigilância e o combate cotidiano à quinta-coluna que são tarefas de todos os bons brasileiros.

Para todos esses é um aviso a notícia de que a polícia do estado do Rio de Janeiro, polícia que tanto tem se distinguido no combate aos traidores nazifascistas, vem de desvendar uma nova trama quinta-colunista, de enormes proporções, que envolve nazistas estrangeiros e comparsas integralistas. Na cidade de Petrópolis haviam os inimigos e traidores da pátria montado seu quartel-general. Dedicavam-se a tarefas de vulto: espionagem relacionada com os navios de guerra e mercantes, emissões radiofônicas clandestinas para Berlim, informações militares sobre o Brasil, ligações com os espiões nazistas presos, íntima colaboração com os integralistas, entendimentos com os nazistas do Brasil e do Canadá, farto material de propaganda. Uma espiã, Maria Danuta Schebeck, fazia o serviço de ligação entre os nazi-integralistas do estado do Rio e o estado-maior de Goebbels, viajando inclusive à Alemanha. Um nazi, de nome Ferdinando Bianchi, chefiava os alemães e os integralistas. Com outro espião foram encontradas fotografias de represas, obras de fortificação e usinas, objetivos de segurança nacional etc. Quer dizer: um complô em grande escala contra a segurança do Brasil.

A ilusão de que a quinta-coluna estava exterminada, que os agentes nazistas se encontravam todos eles presos, que os integralistas tinham todos se arrependido e virado meninos bem-comportados, todas essas falsas idéias que vêm sendo inculcadas pela própria quinta-coluna, desaparecem com a notícia do novo centro de espionagem agora descoberto pela polícia. A quinta-coluna está viva e bem viva, está agindo e não perdeu a esperança de levar o Brasil aos braços do Eixo, de prejudicar ao máximo a nossa pátria, de dificultar o nosso esforço de guerra, de usar os integralistas como alavanca para *putsche* antinacionais, para golpes e conspiratas.

A quinta-coluna está em ação. Não há muito, *O Imparcial* publicou a fotografia dos boletins datilografados que os integralistas pregaram nos postes da nossa cidade. Aqui e ali eles agem. A vigilância policial em torno dos espiões e traidores, sob todos os pontos louvável, deve se completar com o apoio do povo. Todos os patriotas devem estar de atalaia, atentos à ação dos estrangeiros suspeitos e dos nacionais integralistas. Esse é um dever de todos. Principalmente quando os nossos soldados se preparam para partir rumo aos campos de batalha. A quinta-coluna está agindo. É necessário esmagar a quinta-coluna! E a polícia não dorme.

O DIPLOMA
19/12/1943

PROTESTANDO CONTRA A PERSEGUIÇÃO NAZISTA AOS ESTUDANTES NORUEGUESES, o professor sueco Lenant van Post, cientista de renome mundial, vem de devolver à Alemanha o diploma de doutor *honoris causa* pela universidade de Königsberg. Há alguns anos atrás o escritor Thomas Mann, genial romancista da *Montanha mágica*, teve idêntico gesto. Também ele devolveu um título honorífico de uma universidade alemã. Ao contrário, porém, do professor sueco, o romancista alemão não esperou os dias de hoje para o seu gesto democrático. Sua recusa a continuar a usar um título universitário germânico era um protesto contra a profanação das universidades alemãs pelo nazismo inimigo da cultura. Não há dúvida que o gesto do professor sueco, apesar de ter tardado bastante, ainda tem o seu efeito. Muitos cientistas, como muitos escritores e artistas, acreditaram possível uma posição apolítica diante dos acontecimentos que perturbavam a marcha do mundo. Acreditavam que a ciência, a literatura e a arte poderiam ficar acima dos problemas de ordem política que agitavam os homens nos dias precursores do nazifascismo. Hoje, tempo de guerra, quando as bestas ferozes se atiram contra a ciência, contra a literatura e contra a arte, aqueles apolíticos de ontem reconhecem o erro em que gastaram muitos dos seus melhores anos. Sobre este importantíssimo aspecto do problema político dos nossos tempos, assisti há um ano, na Argentina, dois magníficos filmes soviéticos. *O professor Mamlock* e *A família Oppenheim*, películas que o Estado russo fizera filmar tendo em mira exatamente os intelectuais chamados puros, narravam as histórias de professores universitários alemães que acreditaram poder continuar fiéis à ciência sem se envolverem nas lutas políticas. Seja o judeu Mamlock, seja o ariano Oppenheim, um e outro sentiram em carne própria o ódio do nazismo à cultura.

Não sei se restam muitos seguidores, nos dias trágicos de agora, dessas doutrinas de apolitismo para os cientistas e os intelectuais. Acredito que não, se bem o recente inquérito realizado por uma revista carioca entre os membros da fatal Academia Brasileira de Letras revelasse que os acadêmicos nacionais não tomam perfeito conhecimento da guerra e do que ela representa. Para essa gente seria útil a exibição dos filmes russos que citei anteriormente. Não sei tampouco se algumas das condecorações múltiplas e variadas que adornam o balofo peito do acadêmico Gustavo Barroso provêm da Alemanha nazista. O apolítico professor sueco rasgou o diploma da universidade de Königsberg. É evidente que se restam diplomas e condecorações provindos da Alemanha nazi evidentemente chegou a hora de devolvê-los. Aliás já está passando da hora. Dentro em breve será muito tarde. E nem as latas de lixo aceitarão essas provas de estima concedidas pelos tiranos nazifascistas e seus sequazes aos teóricos do pensamento puro, da arte pela arte e de outras sutis formas de quinta-colunismo.

MESTRE OSWALD, QUASE ILYA
28/12/1943

ACABO DE LER O PRIMEIRO VOLUME DE MAR-
CO ZERO, ROMANCE CÍCLICO PAULISTA de Oswald de Andrade.
A revolução melancólica intitula-se esse primeiro tomo, começo do
"mural" que o romance se propôs traçar sobre a vida paulista nos
anos que sucederam a Revolução de 30. O ciclo constará de cinco
volumes e qualquer crítica a este primeiro tomo só poderá ser feita levando em consideração esse fato: *A revolução melancólica* é
apenas detalhe de um todo ainda não completado. No entanto
penso que poucos livros brasileiros serão tão discutidos quanto
este. Ao que sei já está sendo discutido, elogiado e atacado, rude-
mente atacado por alguns. Só li até agora um artiguete, escrito
por um conhecido fascista, patrianovista,* efeminado literatóide
que atende pelo nome suspeito de Willy Lewin. O sujo sublitera-
to fascista escreve sobre o livro de Oswald com ódio e é justo que
assim o faça. Oswald é um escritor combatente da liberdade, de
um mundo melhor, e são pesadas as suas armas pois são a sátira e
a ferina ironia.

Armas que ele conserva mesmo na construção do romance.
"O romance participa do debate público", escreve Oswald de Andrade no final deste primeiro volume do *Marco Zero*. Formiguei-
ro de tipos, vivos todos, levantados um a um em dois ou três tra-
ços cada. Caricaturais? Pode ser que Oswald tenha exagerado o
traço caricatural num ou noutro. Nunca porém chega a uma de-
formação artificial tão fácil nos romancistas chamados introspec-
tivos que levam tudo para o mistério mais falso e tolo. Essa humanidade paulista de *A revolução melancólica* está de raízes presas na
terra, na realidade vivida momento a momento, não são seres

---

* Adepto da Ação Imperial Patrianovista Brasileira, movimento neomonarquista católico fundado
em 1928.

abstratos e vagos. Eis aí um dos motivos por que certa crítica com certeza se lançará contra o grande escritor paulista. Outros dirão que essas vidas se sucedem paralelamente, que o "conjunto" não foi conseguido. Acho que não se pode discutir esse detalhe desde que estamos apenas ante o primeiro volume de uma obra em cinco.* Muito caminho terão ainda que andar esses personagens, tantos e tão variados, para que se cruzem os seus destinos, no necessário entrelaçamento romanesco.

Que força de vida, que calor humano, quanta esperança no futuro, encobertos sob o riso largo e por vezes amargo que percorre o romance! Por vezes cínico, jamais pessimista. Oswald de Andrade, maior arcabouço de romancista do modernismo, o mais completo escritor brasileiro da literatura atual, sabendo escrever, sabendo levantar um diálogo como ninguém, numa justeza admirável, lembra-me sempre Ilya Ehrenburg, o romancista soviético. Também o russo veio da sátira por vezes anárquica, do largo riso irônico sobre um mundo torpe. Era assim o Ehrenburg de *Julio Jurenito*, como era o Oswald de *Serafim Ponte Grande*. Depois a construção do seu novo país ordenou a literatura de Ilya. Seus romances posteriores, sem que desaparecessem as qualidades de sátira (por vezes de caricatura), de panfleto (de debate público, diria Oswald), adquiriram uma consistência nova, como que se humanizaram também. Assim sucede com Oswald de Andrade neste *Marco Zero*. Para se dar com ele o mesmo idêntico fenômeno sucedido com Ilya faltam as condições que o outro encontrou. Mas tampouco Oswald se perderá nos resmungos das críticas fascistas ou fascistizantes, muniquistas ou apenas medrosas. É homem de combate como Ilya. E homem que olha o futuro sem medo.

Penso que este é um livro, um importante romance. Não é um livro fácil, não é um romance fácil. Exige do leitor mas também lhe dá muito, todo um imenso mundo em movimento, palpitante e denso. De mim, pouca coisa tem me honrado tanto quanto o ter sido o meu romance *Terras do sem-fim* colocado em igualdade de

---

* Foram publicados apenas dois livros do ciclo *Marco Zero: A revolução melancólica* e *Chão*.

condições com este Oswald de Andrade na seleção brasileira para o prêmio Pan-Americano. Ehrenburg da América, Oswald é um mestre na nossa literatura. Talvez o mais combatido dos mestres. O que muito o honra. É que Oswald é uma voz do nosso tempo falando para o futuro. Da lama dessa humanidade apodrecendo que vive no seu romance sai a luz de uma estrela nascendo do riso sadio do romancista e também da decência de alguns personagens. Esse primeiro volume do *Marco Zero* jamais será esquecido.

OS BÁLCÃS
5/1/1944

NA EXPECTATIVA DA ABERTURA DA SEGUN-
DA FRENTE, PARA A QUAL IRÃO OS soldados brasileiros, levantam os comentaristas militares um panorama das atuais frentes de
batalha e das prováveis. E os Bálcãs entram novamente em cena,
fator militar e político da maior importância para o desenvolvimento de todos os problemas de guerra e de paz. Já ninguém separa hoje os problemas militares dos políticos, ao mesmo tempo
que mais se aproximam os problemas da guerra e da paz. Nos Bálcãs, muito especialmente, é impossível desligar uns dos outros.

Há um sinal evidente: por que a campanha da Itália vem tendo
tão lento desenrolar? É claro que existiram fatores militares, mau
tempo, dificuldades várias. Porém é claro também que mais importante que tudo foi o fator político. O povo italiano, após a
queda de Mussolini, desejava ver limpo o campo político italiano,
e surpreendeu-se com o apoio concedido a um Badoglio, a um
Vítor Emanuel, a continuada permanência de oficiais e políticos
fascistas no governo e no exército. Isso dificultou as relações entre os aliados e os italianos, relações que só agora melhoram, com
a promessa repetida de que o povo da Itália resolverá em última
instância sobre o seu destino. Aí temos um exemplo de quanto
pode custar aos aliados qualquer manifestação de boa vontade para com criminosos fascistas.

Nos Bálcãs pode-se dizer que o problema se agrava ao máximo.
Em cada um desses países de ditaduras violentas, parafascistas,
crescidas à sombra de Hitler ou de Mussolini, esmagaram os povos, tiraram-lhes todas as liberdades e criaram-lhes condições de
vida as mais terríveis. A Bulgária, por exemplo, país de camponeses, de olhos eternamente voltados para o leste, sofre a brutalidade
de uma monarquia amarrada ao carro hitlerista. O povo deseja liberdade. Deseja um governo realmente popular. Sua posição ante

os aliados dependerá, em grande parte, da atitude das forças invasoras de referência aos elementos feudais e nazistas ali existentes. Porque se popularizou a guerra contra os nazis, a guerra difícil e subterrânea na Polônia antes ocupada pelos russos? Porque estes deram aos poloneses e ucranianos da região possibilidades de se governarem.

Um exemplo ainda mais esclarecedor é o da Iugoslávia. Felizmente, ali, os aliados, especialmente a Inglaterra, já sentiram qual é o caminho certo e começam a marchar por ele. A luta entre o governo popular, instalada em plena guerra, e o governo muniquista do rei Pedro, entre os guerreiros de Tito e os partidários do colaboracionista Mihailovic, mostra qual o verdadeiro problema dos Bálcãs. Vê-se como a Iugoslávia se levanta, unida, capaz, eficiente, batendo os alemães. Por quê? Porque está dirigida por um governo popular, um governo nascido da guerra e das necessidades do povo em guerra.

A provável invasão dos Bálcãs será imensamente facilitada se os aliados levarem em conta o grave problema político. Conduzir Badoglios, Girauds e pequenos reis impopulares só faz dificultar a marcha do carro da vitória. Os povos estão de atalaia, não lutarão por outros interesses que não sejam seus legítimos interesses.

A PROPOSTA RUSSA
13/1/1944

NINGUÉM DE BOA-FÉ PODE NEGAR QUE A PROPOSTA RUSSA PARA A SOLUÇÃO DO CONFLITO de fronteiras entre a União Soviética e a Polônia não é generosa. Em primeiro lugar há a considerar que a Rússia está com a faca e o queijo na mão: derrotando os alemães, libertando territórios, possuindo o mais completo, experiente e bem armado exército do mundo, e contando com as simpatias da maioria do povo polonês. Podia perfeitamente a União Soviética desconhecer o governo polonês de Londres e retificar as fronteiras à sua vontade. Porém já se torna clássica a maneira correta como a pátria de Stálin resolve seus conflitos internacionais. Acostumada a cumprir com lealdade seus pactos, acostumada também a não intervir nos negócios internos de cada país, a União Soviética, ao mesmo tempo que retoma velhos trechos do seu território, artificialmente incorporados antes à Polônia, oferece a esse país compensações que de muito ultrapassam o território devolvido à Rússia. E propõe negociações para um tratado tcheco-soviético-polonês de ajuda mútua. Mesmo os comentaristas mais chegados ao governo polonês de Londres reconhecem que as bases da proposta russa são generosas e representam uma prova da decisão soviética de não usar suas magníficas vitórias nessa guerra para qualquer violação de territórios.

Que resposta dará o governo polonês de Londres? Um polonês meu amigo me dizia ontem, após ler a proposta russa:

— Só uma coisa me desagrada... É a União Soviética tratar com o governo polonês de Londres, governo que não merece a confiança do povo polonês.

Se o governo polonês de Londres, impopular, declaradamente incapaz de levar avante a guerra contra a Alemanha, chegado daquela provocação nazi dos oficiais mortos, constituído de representantes dos barões feudais, não correr ao encontro da proposta soviética, era uma vez o governo polonês de Londres. De qualquer maneira é muito difícil que esse governo se mantenha após a guerra. Não por causa da União Soviética ou de qualquer outro país. Mas porque, como me dizia o meu amigo polonês, esse governo não conta com as simpatias do povo, é uma continuação dos governos feudais de Beck e outros que tais, homens que negociaram com o nazismo.

Mas, mesmo para existir nesse fim de guerra, o governo polonês de Londres só tem uma solução: aceitar as generosas propostas soviéticas e dar por encerrado o conflito de fronteiras. Se isso for feito, há possibilidades do governo polonês de Londres durar até que as primeiras eleições polonesas digam quais os homens que vão dirigir os destinos da grande e infeliz pátria, onde a sombra do pior fascismo mascarado dominou desde o fim da guerra passada. Caso contrário, o governo virá abaixo porque o próprio povo polonês em luta contra o nazismo se encarregará de novo governo que negocie e apóie a União Soviética na sua gloriosa arrancada contra as forças bárbaras de Hitler.

Só uma coisa é certa: o povo polonês é amigo do povo russo, e não está satisfeito com os exilados de Londres. As propostas soviéticas, tão magnânimas, só irão aumentar essa estima russopolonesa e, caso o governo polonês de Londres se recuse a aceitá-las, aprofundar o desentendimento que separa o povo polonês do governo que representa em Londres os latifundistas e barões escravocratas da Polônia infeliz de servos como escravos, de programas contra judeus, aquela Polônia tão semelhante à Alemanha de Hitler.

O GENRO
14/1/1944

EM FRENTE A UM PELOTÃO FASCISTA DE FU-
ZILAMENTO, TERMINOU A AFORTUNADA carreira do conde
Ciano, genro de Mussolini, líder de camisas-pretas, símbolo da
nobreza arruinada e decadente da Itália, um dos mais sórdidos
sujeitos que brilharam na cena mundial nos anos tristes da tragi-
comédia fascista. Seus companheiros o mataram pois o cortesão,
no momento em que viu as coisas negras, não teve dúvidas em
trair seu chefe que era também seu sogro e protetor. Essa é a
lealdade e a decência que existem entre os fascistas. Outros fascistas, igualmente acusados de traição, foram fuzilados ao mesmo tempo que Ciano.

Nessa diminuição do tempo de vida que restava ao conde (de
qualquer maneira seria condenado pelo povo italiano após a vitória) há um detalhe ainda mais revelador da podridão moral do
fascismo: a condessa Ciano, nascida Edda Mussolini, está na Alemanha e não deu o menor sinal de interesse pela sorte do seu es-
poso. Conhecida aventureira, amando sobre todas as coisas as or-
gias e gostando, no depravado apetite, de variar de "amiguinhos",
Edda, na hora em que o marido recebia as balas fascistas, se divertia, com certeza, com algum nazi convalescente da campanha
da Rússia. Para ela o marido sempre fora o título de nobreza e
nada mais. Em troca lhe deu posição e dinheiro, posição arrancada aos decretos do caduco Vítor Emanuel, dinheiro roubado do
povo italiano. Ciano, filho de pais arruinados, encheu-se a valer,
restaurou a fortuna familiar e acabou ministro do Exterior da Itália, depois embaixador no Vaticano. Edda celebrizou-se tanto ou
mais que ele. Enquanto o prestígio de Ciano decorria da sua qualidade de genro de Mussolini, a fama de Edda não dependia do
nome paterno. Ela a construiu sozinha, era uma fama de cortesã,
é bem verdade, porém fama mundial, conhecida de pólo a pólo.

Só uma vez Ciano se decidiu a fazer alguma coisa pela própria cabeça, deixando de lado o sogro envelhecido e decadente. Quando os fascistas viram que a guerra não tinha mais jeito, pensaram numa solução muniquista. Ali estava o rei, estava Badoglio, urubu do fascismo, estavam os amigos prometendo benevolência... E Ciano traiu o sogro, mandou Mussolini às favas, votou pela sua deposição e, como era seu genro, procurou mostrar-se o mais desapiedado. Quando um fascista — camisa-parda da Alemanha, negra da Itália ou verde do Brasil — resolve bancar o democrata, só falta comer vivo seus companheiros de ontem. Os exemplos estão aí, aos montões. Ciano não foi exceção à regra. Tripudiou sobre o cadáver político de Mussolini.

Mas os alemães ocuparam Roma e prenderam o conde. Depois veio a farsa do fascismo republicano do ex-Duce transformado em *quisling*. E Ciano, arrancado dos tranqüilos corredores do Vaticano, acabou no muro de fuzilamento.

Imagine-se Edda ao receber a notícia. O estafeta lhe diz:

— Ciano fuzilado...

— Quem é? — pergunta o tenente alemão, seu ocasional companheiro do hotel.

— Um conhecido meu...

— Teu amante?

— Coisa parecida... Faz muito tempo, nem me recordo como era. Um imbecil!

Um imbecil, não há dúvida.

Jorge Amado e Erico Verissimo em Porto Alegre, 1937. Verissimo criara um programa de rádio mas logo o tirou do ar por causa da censura prévia do Estado Novo. Em 1970, os dois lutaram contra o projeto de censura aos livros do governo Médici, e conseguiram engavetá-lo

Benito Mussolini e Adolf Hitler em desfile militar no campo de aviação de Centocelle, Roma, maio de 1938

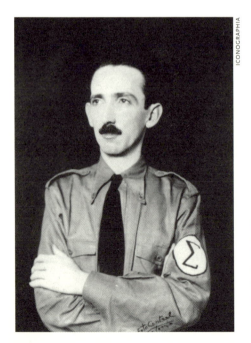

Plínio Salgado em uniforme da Ação Integralista Brasileira, 1935. Salgado é bastante criticado, principalmente na crônica "Comédia das traições"

Jorge Amado na lavagem das escadarias da
Igreja de Nosso Senhor do Bonfim, em Salvador.
Na crônica "Senhor do Bonfim, padroeiro das
Nações Unidas", o escritor descreve a procissão
e a festa, marcadas pelo desejo de paz

Ilustração de Belmonte,
agosto de 1939

Cemitério militar brasileiro em Pistóia, Itália. Durante a Segunda Guerra Mundial, mais de quatrocentas pessoas foram sepultadas ali. Em 1960, os restos mortais foram transferidos para o Rio de Janeiro, e o local foi transformado em monumento votivo militar brasileiro

Lasar Segall à frente da tela *Navio de emigrantes* (1939-42). Considerado por Jorge Amado "o maior artista brasileiro, que se voltou sem medo para a realidade do seu tempo", Segall quase teve sua obra destruída por manifestantes integralistas, na exposição *Arte moderna 1944*, em Belo Horizonte. O fato é relatado nas crônicas "Um quadro de Segall" e "Fascistas em ação"

O jornalista e humorista Apparício Torelly, o Barão de Itararé, na década de 1940. Torelly é homenageado na crônica "O Barão"

Funcionários da BBC fazem transmissão de rádio em meio a ataque aéreo noturno na Inglaterra, janeiro de 1940

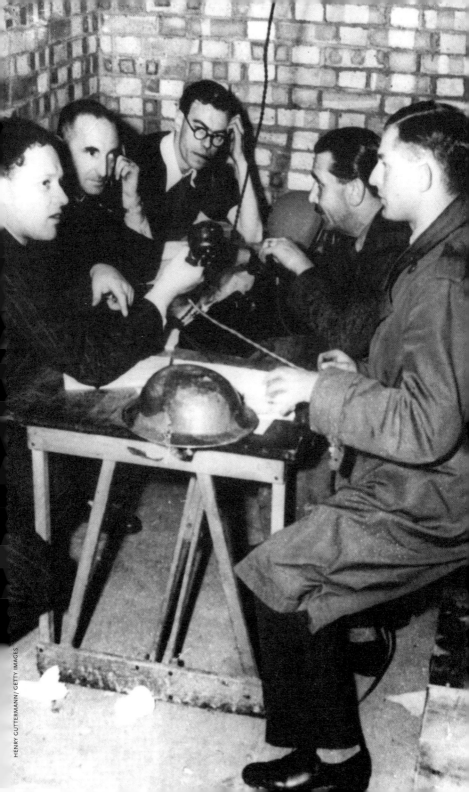

Estrago causado por bombardeio alemão próximo à catedral de St. Paul, Londres, janeiro de 1940

Gilberto Freyre e José Lins do Rego, 1940. Em "Cultura e democracia", Jorge Amado lamenta a censura contra intelectuais no Estado Novo e refere-se ao sociólogo pernambucano como "trincheira democrática no Recife" e ao escritor paraibano como "honra e orgulho das letras brasileiras"

Multidão observa bombardeiro alemão abatido e forçado a aterrissar, em julho de 1941. A aeronave foi exibida no centro de Moscou

O navio *Cayrú*, que foi torpedeado por submarinos alemães em 1942. Jorge Amado lamenta o ocorrido na crônica "Aniversário"

Enterro simbólico dos ditadores do Eixo. Rio de Janeiro, agosto de 1942

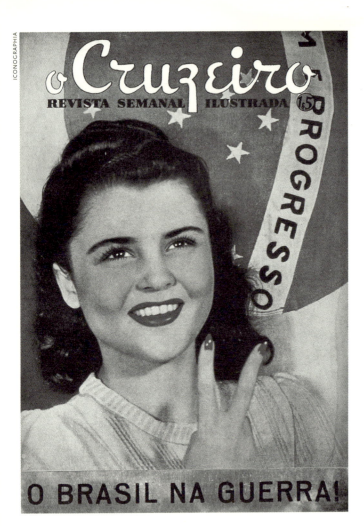

Capa de 29 de agosto de 1942 com o V da vitória, gesto criado em 1941 pelo ministro da Justiça belga Victor de Laveleye e que se tornou símbolo da luta contra o nazifascismo

Enfermeiras da Legião Brasileira de Assistência fazem treinamento de socorro a feridos, setembro de 1942. Jorge Amado elogia sua atuação na crônica "As bandeirantes e o esforço de guerra"

Conferência de Casablanca, Marrocos, janeiro de 1943: Honoré Giraud, Franklin Delano Roosevelt, Charles de Gaulle e Winston Churchill. O encontro, mencionado na crônica "Até a rendição incondicional", serviu para definir estratégias como a continuidade do apoio à União Soviética e a possível invasão da França ocupada

Sentados, de terno claro: Getúlio Vargas, Franklin Delano Roosevelt e o embaixador americano no Brasil Jefferson Caffery na Conferência de Natal, realizada em sigilo no Rio Grande do Norte, em janeiro de 1943. A pauta incluiu a prevenção de um possível ataque dirigido de Dacar ao hemisfério ocidental, o apoio do Brasil aos objetivos de guerra de Roosevelt e o envio de tropas brasileiras para o front

Gueto de Varsóvia. Em 1940, os nazistas cercaram parte da cidade e ali confinaram aproximadamente 400 mil judeus. No final de 1942, perto de 300 mil haviam sido enviados para o campo de extermínio de Treblinka, na Polônia. Em 1943, os que restavam no gueto iniciaram uma rebelião que, apesar de massacrada, virou símbolo de resistência civil

O ator americano Clark Gable na Inglaterra como instrutor de artilharia da força aérea americana, junho de 1943. Jorge Amado exalta o comportamento heróico de Gable na crônica "O mocinho e o herói"

Carroças na avenida Rio Branco, transportando metal para a indústria bélica. Rio de Janeiro, 1943

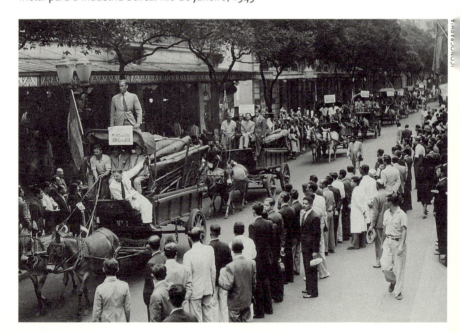

Conferência de Teerã: O primeiro de três encontros entre Josef Stálin, Franklin Delano Roosevelt e Winston Churchill, em novembro de 1943, no Irã. Além de fortalecer a aliança entre União Soviética, Estados Unidos e Inglaterra, a conferência, comentada na crônica "Teerã significa liberdade", foi palco de decisões importantes, como a divisão da Alemanha no pós-guerra e o planejamento do desembarque aliado na Normandia em junho de 1944

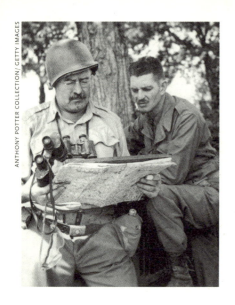

Ernest Hemingway como correspondente de guerra, acompanhando tropas americanas na Europa, dezembro de 1943. Em "O mestre dos correspondentes", Amado elogia escritores que, como Hemingway, Tolstói e Steinbeck, deixaram temporariamente a ficção para se dedicar ao registro dos acontecimentos daquele período

Desfile da Força Expedicionária Brasileira na avenida Rio Branco, Rio de Janeiro, em maio de 1944, antes da partida para a Itália

Escritores e artistas na exposição *Arte moderna 1944*, idealizada por Juscelino Kubitschek (1), então prefeito de Belo Horizonte. Marco da expansão do modernismo no Brasil, o evento foi apelidado de "Semaninha de Arte Moderna" e contou com a presença de Oswald de Andrade (2), Tarsila do Amaral (3), Caio Prado (4), Victor Brecheret, Alfredo Volpi e Anita Malfatti, entre outros

Soldados brasileiros na Itália, setembro de 1944. O envio de militares brasileiros à Europa é assunto da crônica "Soldados da liberdade"

Pára-quedistas aliados no sul da França, entre Nice e Marselha, setembro de 1944

O general Mascarenhas de Moraes (primeiro à esquerda) e o então ministro da Guerra Eurico Dutra (de binóculos) no front italiano, em Pisa, outubro de 1944

Rubem Braga, correspondente de guerra na Itália, desembarca no Rio de Janeiro, 1945. Jorge Amado morou com Rubem Braga em São Paulo, em 1938, logo após sair da prisão. A publicação do primeiro livro de Braga, *O conde e o passarinho* (1934), teve o apoio do escritor baiano, que trabalhava na Livraria José Olympio Editora

Comemoração da libertação da Tchecoslováquia pelos russos e do fim da guerra, Praga, maio de 1945

Chegada dos heróis da Força Expedicionária Brasileira, em foto de Jean Manzon, Rio de Janeiro, 1945

LUZES DA VITÓRIA
23/1/1944

É QUASE UM POEMA ESSE DESPACHO TELE-GRÁFICO DA AP [ASSOCIATED PRESS], que relata a noite de Moscou em festas pela libertação de mais uma cidade. Quando o marechal Josef Stálin envia para os exércitos soviéticos uma daquelas ordens do dia que o povo baiano chama, comovidamente, de "glórias eternas". Moscou vem às ruas para assistir ao troar dos canhões e ao subir dos fogos para o céu. Moscou que há dois anos estava sob o cerco, que estava à vista dos nazis que a queriam como a mais preciosa conquista da sua carreira de violadores de pátrias. Moscou se ilumina com as luzes da vitória nos dias em que mais uma cidade soviética é libertada, é arrancada das mãos assassinas dos nazifascistas.

A neve embranquece as ruas da capital da União Soviética. Os homens passam com seus capotes pesados, as mulheres atravessam os passeios com uma decisão no olhar. Todo o povo russo, sem exceção, pois ali não medraram quinta-colunas, está mobilizado nesta guerra pela libertação da pátria invadida pelos mais bárbaros e mais miseráveis entre quantos bárbaros e miseráveis já apareceram sobre a face da terra. Homens, mulheres e crianças dão seu esforço na luta de vida e morte que sua pátria sustenta. Não há um só cidadão soviético que não esteja a postos, combatendo. Nas frentes de batalha ou na frente interna, nas fábricas e nas fazendas coletivas, nos jornais, nos teatros, na composição de sinfonias guerreiras. Operários e camponeses, soldados e marinheiros, aviadores e artistas, escritores e sábios, dirigentes políticos e poetas, eis que todos estão mobilizados, eis que todos estão lutando, estão sendo úteis e é por isso que a União Soviética pôde derrotar, tão espetacularmente, os exércitos que, em certo momento, pareceram invencíveis, da Alemanha nazi e dos seus satélites fascistas, incluindo os homens da Divisão Azul de Chico Franco.*

A princípio foram terríveis os dias da guerra, quando o invasor conquistava territórios e assassinava populações. O povo de Moscou não duvidava, no entanto. E trabalhava para a vitória com decisão imperturbável.

Hoje a vitória é uma realidade magnífica. As ordens do dia se sucedem. Então as crianças vêm para as ruas nas noites de alegria. A neve se estende, branca e pura. Vêm também os homens e as mulheres para a praça Vermelha. Ali está o Kremlin, onde vivem os dirigentes.

Ali está o túmulo onde repousa Lênin, o que construiu essa pátria. Os canhões vão troar saudando mais uma vitória, mais uma cidade libertada. Kharkov ou Kiev, Novgorod ou Smolensk. Populações arrancadas às mãos dos assassinos, criminosos que os juízes julgam em nome do povo vingador.

Os canhões troam, saudando os soldados e os aviadores, os marinheiros e os jovens generais. Vatutin tem apenas 36 anos, seu nome todos o sabem em todos os quadrantes do mundo. Sobem para o céu de Moscou os fogos comemorativos e as luzes da vitória se refletem no espelho da neve. Riem as crianças na travessa alegria inocente, vêm orgulhosos os homens, operários e camponeses, riem comovidas as mulheres, essas mulheres russas que tanto contribuíram para a vitória. As luzes sobre a cidade de Moscou iluminam esses sorrisos felizes. E iluminam também, nas sacadas do Kremlin, o largo sorriso do marechal Josef Stálin, saído de sob os bigodes como um símbolo, é o povo soviético sorrindo, é o povo soviético vitorioso!

---

* A Divisão Azul, comandada pelo general Augustín Muñoz Grandes, era formada por milhares de voluntários espanhóis, em geral oriundos da facção falangista. Entre 1941 e 1943, essa divisão se uniu ao exército alemão numa grande ofensiva contra a União Soviética, em retribuição ao apoio oferecido anteriormente pela Alemanha ao general Francisco Franco.

DEMOCRACIA EM AÇÃO
26/1/1944

AS DECLARAÇÕES DE VÁRIOS GOVERNOS AMERICANOS, ENTRE OS QUAIS O DO BRASIL e dos Estados Unidos, anunciando a decisão de não reconhecerem o novo governo boliviano, governo resultante de um golpe fascista, leva-nos a acreditar que os elementos progressistas e democratas do continente estão decididos a agir contra as manobras muniquistas em relação à América Latina. Manobras que por várias vezes temos denunciado destas colunas, como denunciamos desde aqui o caráter do *putsch* boliviano mal ele se deu. Aliás *O Imparcial*, por intermédio desta seção e da sua "Nota Internacional", foi o primeiro diário baiano, talvez brasileiro, a colocar o público de sobreaviso quanto às reais intenções dos sócios do major Belmonte. Nunca nos enganamos com as palavras falsamente democráticas e populares, falsamente anticapitalistas (também Hitler se diz anticapitalista) dos novos dirigentes bolivianos. E agora a decisão dos governos americanos de não reconhecimento baseia-se exclusivamente no caráter antidemocrático do governo da Bolívia, ligado ao nazifascismo, satélite da Argentina de Ramírez.

A Argentina e o seu governo não aparecem citados nos comunicados dos diversos governos que já se pronunciaram sobre o assunto. Mas durante todo o decorrer das negociações que resultaram no não reconhecimento, nas discussões, nos debates de imprensa ficou claramente provada a influência do governo Ramírez sobre o golpe boliviano. Era a política neutralista, era o espírito terrorista do muniquismo, era o falangismo da *hispanidad* em ação. O movimento não devia se limitar à Argentina e à Bolívia. Não há muito vimos os governos do Chile, do Peru e da Venezuela acusarem elementos nazistas e simpatizantes do nazismo, elementos estranhos à política desses países, de estarem tentando *putsche* com o fim de lhes impor regimes de corte fascista. O sonho do muniquismo e da quinta-coluna, desiludida de abocanhar a Europa, é transformar a América Latina na trincheira final da reação, do terror, da escravatura.

Estenssoro, o líder mais influente do *putsch* boliviano, declarou a um diário argentino:

> *Estoy seguro que el 4 de junio* (data do golpe de Ramírez) *tendrá en Bolívia tanta repercusión como la Revolución de Mayo. Acaso esta fecha que los argentinos creen propria, exclusiva y nacional, pase a ser cuando cunda el ejemplo en los países sudamericanos, cuando estos alcancem a interpretarla exacta y plenamente, la fecha americana de la emancipación económica.*
>
> [Estou certo de que o 4 de junho terá na Bolívia tanta repercussão quanto a Revolução de Maio. Talvez esta data que os argentinos consideram própria, exclusiva e nacional, venha a ser, quando se dissemina o exemplo nos países sul-americanos, quando estes conseguirem interpretá-la precisa e plenamente, a data americana da emancipação econômica.]

Eis a opinião de Estenssoro sobre o golpe de Ramírez, quando este se processou. Depois o próprio Estenssoro realizou o *putsch* boliviano. Por um se pode julgar o outro.

Felizmente os governos americanos tomaram uma decidida atitude, credora de todos os louvores. Os planos fascistas e muniquistas em relação à América Latina são os que já conhecemos. Faz-se necessário uma reação democrática, uma decisão dos povos do continente no sentido de impedir o assalto fascista aos nossos países. Para uma Europa livre é necessário que exista também livre América democrática!

SEGUNDO ANIVERSÁRIO
28/1/1944

HÁ DOIS ANOS, NA DATA DE HOJE, ROMPÍA-MOS RELAÇÕES DIPLOMÁTICAS COM O EIXO. Terminava no Rio de Janeiro a histórica conferência dos chanceleres e o Brasil iniciava a sua marcha para a guerra. O povo estava nas ruas, entusiasmado e disposto à luta contra o nazifascismo. A Alemanha hitlerista e a Itália de Mussolini iniciaram os afundamentos dos nossos barcos e em agosto era a declaração de guerra, pedida pelo povo e sancionada pelo governo. Pode-se, no entanto, marcar a data de hoje como o início das nossas atividades ao lado das Nações Unidas, na frente mundial antifascista chefiada pela Inglaterra, pela União Soviética, pelos Estados Unidos e pela China.

Nesses dois anos andamos um largo caminho, ninguém o pode negar, como ninguém pode negar que ainda nos resta muito caminho a andar. Do rompimento de relações fomos à guerra, aderimos à Carta do Atlântico e ao pacto das Nações Unidas, tornamo-nos uma delas, aderimos às decisões da Conferência de Teerã, preparamos o próximo envio de um corpo expedicionário para lutar nos campos de batalha da segunda frente. Foi feita uma campanha contra a máquina de espionagem montada no país pela quinta-coluna e parte desta máquina foi desmantelada. Pôde ser feito, abertamente, o combate ao nazifascismo e ao integralismo, em algum tempo tabus, e puderam-se combater as diversas provocações levantadas pela quinta-coluna e, depois, também pelo muniquismo, contra os democratas.

Não há dúvida que fizemos muito. Um amplo esclarecimento popular sobre a guerra e a significação do fascismo foi iniciado e prossegue, apesar das inúmeras dificuldades que surgem a cada momento, nascidas de condições diversas e agitadas por todos os integralistas e seus simpatizantes.

Muito ainda, no entanto, nos resta a fazer. Em primeiro lugar temos o corpo expedicionário, obrigação número um de todos os brasileiros patriotas. Todos nós temos um dever para com os soldados que partem. Aí estão as campanhas patrióticas em torno do corpo expedicionário e devemos apoiá-las inteiramente. Como devemos, todos os que amamos o Brasil e a democracia, continuar o trabalho de esclarecimento popular sobre o fascismo. Não basta levar o país à guerra contra Hitler e Mussolini. Faz-se necessário esclarecer todo o povo sobre o que é o nazifascismo e a desgraça que ele representa. É necessário também combater o novo perigo: o muniquismo manobrista que adere à guerra contra o Eixo para ganhar uma paz contra os povos. É necessário levar até o povo uma completa denúncia dos métodos desses fascistas que se mascaram para melhor realizar seus planos de dominação. Hitler está derrotado, mas o espírito obscurantista do fascismo não o está. Mascarado de democrata ele sabota, divide, conspira, luta contra os povos pela permanência de um sistema de governo que, em nada, será diverso do fascismo, em todo o mundo de amanhã.

Por outro lado a quinta-coluna ainda age, solerte e venenosa, e é necessário não parar o combate aos inimigos da pátria e da humanidade. É necessário também mostrar ao povo que ele tem razões sérias para lutar contra o nazifascismo: a Carta do Atlântico e as liberdades fundamentais, programa mínimo dos povos em luta. É preciso que todo o povo saiba por que luta nesta guerra.

Todo este trabalho de esclarecimento popular apenas foi iniciado. Ao lado das tarefas decorrentes do corpo expedicionário, o maior trabalho dos patriotas brasileiros é formar em todo o povo do Brasil uma ativa consciência antifascista.

CULTURA E DEMOCRACIA
4/2/1944

O ARTIGO DO GRANDE ROMANCISTA JOSÉ LINS DO REGO, HONRA E ORGULHO das letras brasileiras publicado sob o título de "Censura de livros", é um grito de alarme contra novas manobras quinta-colunistas em relação à literatura brasileira. O autor de *Fogo morto* levanta-se contra o pedido de um desses muitos literatos fracassados, postos a serviço do fascismo, que quer uma censura para livros, "a fim de que não se corrompam ou envenenem as almas frágeis". Numa revista do Rio li também uma nota onde se informa que o romance *Fronteira agreste*, estréia de Ivan Pedro de Martins, que vem obtendo grande sucesso, foi classificado por um subcensor rio-grandense como pornográfico. É a mesma tecla fascista de "arte degenerada". "Arte degenerada" é, para os fascistas e seus criados da quinta-coluna, toda aquela que combate o fascismo.

Não é de agora que a quinta-coluna vem lançando sua campanha sistemática contra a cultura brasileira e, em especial, contra a literatura moderna. Houve um tempo em que eles dominaram e reduziram os mais nobres escritores brasileiros quase que ao silêncio. Mas, com o desmascaramento do plano nazi de conquista do Brasil, eles tiveram que ceder terreno e, novamente, pôde o público brasileiro ter contato com seus escritores preferidos. Não cessou, porém, a atividade solerte da quinta-coluna no front cultural. Aí está a campanha contra Gilberto Freyre, a melhor prova de que os fascistas não desanimam. Aí estão a luta, luta contra Erico Verissimo, e a sórdida provocação em torno do pintor Lasar Segall. E agora, num novo ímpeto, a tentativa da mais uma vez arrolhar a voz livre dos escritores do povo do Brasil, pedida pelos escribas fascistas.

Temos esperança que nada disso se concretize. Não é possível que regressemos aos tempos tristes em que qualquer escritor antifascista e popular, pelo simples fato de assim o ser, podia ser tachado de qualquer coisa e ir parar com os costados na cadeia, ter seus livros apreendidos e queimados, como tantas vezes sucedeu. José Lins do Rego, no seu artigo, recorda o auto-de-fé à maneira inquisitorial nazista realizado aqui na Bahia, quando do assalto ao poder pela canalha integralista. Livros seus, de Gilberto Freyre e meus foram queimados. Eu, particularmente, tenho sido uma vítima constante desse ódio nazifasci-integralista à cultura. Livros apreendidos, livros queimados, livros proibidos, acusações, o diabo. No entanto a moderna literatura brasileira não fugiu do seu dever antifascista, não recuou na sua luta contra os inimigos da pátria. O Brasil sempre encontrou seus escritores modernos na trincheira, em defesa do povo, da democracia, da liberdade, contra o fascismo, a quinta-coluna, o terror e o obscurantismo.

Estamos lutando pela democracia ao lado das Nações Unidas. Estamos lutando contra o obscurantismo, contra aqueles que queimam livros e prendem escritores. Será possível que nesta mesma hora, quando o Brasil afirma ao mundo seus ideais democráticos, possa um quinta-coluna qualquer pedir censura para os livros brasileiros, pedir reação contra os escritores livres do Brasil?

Aí está o pedido feito por um sujeitinho qualquer, amargo e fascista. Resta esperar que contra tão suspeito pedido se levantem não só os escritores, mas todos aqueles que estão realmente interessados numa democracia brasileira, na existência de uma cultura nacional, no fim do fascismo em todo o mundo. Seria o pior sinal para o futuro se alguém tocasse agora nos livros e nos escritores brasileiros. Afinal não estamos na Espanha de Franco nem na Alemanha de Hitler.

ANIVERSÁRIO DE STALINGRADO
5/2/1944

SAUDEMOS COM ENTUSIASMO ESTA ORDEM DO DIA DO MARECHAL JOSEF STÁLIN, o dos longos bigodes e do bondoso sorriso: 180 mil assassinos nazistas estão cercados na Ucrânia! Comemoram assim os soldados soviéticos o aniversário da grande vitória de Stalingrado. Nos dias de janeiro e fevereiro do ano passado, todos nós sorríamos felizes ante as notícias da derrota hitlerista na cidade de Stálin. Aquela batalha mudou o curso da guerra e uma espada de ouro, doada pelo povo inglês, foi fundida em honra à cidade imortal. Um rei e imperador a enviou para esse povo de operários e camponeses que escreveu aquela página imortal de heroísmo. Há um ano. Depois disso, os nazifascistas não tomaram mais pé na guerra e as derrotas dos assassinos pardos, dos ladravazes da camisa negra, dos ridículos legionários azuis da falange de Franco e do padre Noé, dos finlandeses feudais, dos parafascistas romenos, dos reacionários húngaros, se sucederam na primavera, no verão, no outono e no novo inverno. Já não contam as estações para os avanços libertadores dos soldados soviéticos. Cidades existiam que eram nomes simbólicos, cuja queda em mãos dos assassinos haviam sido terríveis e cruéis golpes nos nossos corações democráticos. Kiev, a bela, Smolensk, a de toda a resistência, Kharkov, que foi tomada e retomada, Sebastopol, a mais heróica de todas. Apenas Sebastopol ainda permanece em mãos nazistas. Mas não o será por muito tempo. Amanhã começará a campanha da Criméia e, então, nosso sorriso será ainda mais alegre porque os bárbaros mais que todos, os assaltantes de Sebastopol, morrerão um por um em mão dos vingadores russos.

As demais cidades foram libertadas. Eis que as repúblicas soviéticas do Báltico, as irmãs mais novas da família da União Soviética, começam a enxergar a madrugada libertadora. Os soldados de Stálin já estão lutando na Estônia, não tardarão a libertar também a Letônia e a Lituânia, como não demorarão a atravessar as verdadeiras fronteiras polonesas para levar ao grande povo mártir a ajuda do seu sangue para a guerra contra os nazistas invasores (contra os fascistas latifundiários poloneses, o povo da Polônia será suficiente). Como não estão distantes os dias da libertação da Bessarábia e da República Soviética da Carélia finlandesa. Os soldados soviéticos marcham com uma decisão inabalável e não existe obstáculo que eles não derrubem, que eles não vençam, que eles não transponham. São soldados da vitória, da liberdade, da cultura. Aos seus pés caem os assassinos vencidos, aqueles que um dia se proclamaram os deuses da guerra. Mas nós bem sabemos quais são os deuses da guerra, os verdadeiros!

Cento e oitenta mil alemães cercados, 180 mil nazistas que serão mortos, esmagados, pagarão com a vida o crime bestial cometido contra o povo soviético e contra os demais povos do mundo! Cento e oitenta mil nazistas que morderão o pó da derrota mais terrível desde a de Stalingrado, nesse primeiro aniversário da batalha imortal! Cento e oitenta mil bárbaros, opressores, terroristas, escravocratas, obscurantistas, que serão a menos no mundo, purificando o ar com sua morte miserável e dando nova esperança aos homens de boa vontade! Cento e oitenta mil, dez divisões, diz a ordem do dia do marechal Josef Stálin, o dos longos bigodes, aquele que tem um sorriso de criança inocente na face serena de sábio e de condutor de homens. Cento e oitenta mil nazistas a menos!

ROGER BASTIDE NA BAHIA
6/2/1944

E SE A DANÇA RELIGIOSA E INESQUECÍVEL
PARAR UM MOMENTO, SE AS FILHAS-DE-SANTO abrirem alas e
se os deuses inclinarem a cabeça numa saudação amiga, vereis que
em meio a tudo isso está um homem magro, de óculos, um sorriso de muitos dentes, o cabelo ralo e a face resplandecente. As es-
padas de Ogum se levantarão em sua honra, no candomblé, e a
dança é para saudá-lo. Os tocadores de atabaque enchem-se de
sadio entusiasmo e a música se espalha pela noite misteriosa da
Bahia de Todos os Santos, e de todos os pais-de-santo, aos quais
se agregou Roger Bastide, professor de sociologia e homem do
povo. No mais animado da festa quando o próprio Oxalá já bai-
xou e a atmosfera se enche de respeito, ele surge de entre as filhas-de-santo e seus olhos têm um brilho alegre de quem está
perfeitamente em casa, entre os seus amigos.

É claro que entre os intelectuais, aqueles que conhecem e es-
timam sua obra de sociólogo, entre os cultos que amam sua tarefa de intercâmbio entre a França e o Brasil, degaullista que é a
antítese daquela sórdida gente que vendeu a nossa França, entre
os poetas e os pintores, entre os jornalistas e os estudantes, no
meio da Bahia culta, o professor Roger Bastide fez uma legião de
amigos. Surge nas redações para um bate-papo que é tão brasileiro quanto francês, recebe convites de poetas e de romancistas.
Mas o que marca esse esplêndido meridional francês é a sua capacidade de se fazer querer e estimar pelo povo, negras, filhas-
de-santo, ogãs de candomblé, vendedoras de cocada, mestres de
saveiro, capoeiristas e cozinheiras (muito especialmente as cozinheiras pois o professor Bastide, se escrever um poema, será sobre o azeite de dendê, sem dúvida nenhuma!). Aqui ele chegou
precedido pela sua fama de escritor e sociólogo, pela sua condição de francês livre e combativo, pela sua posição de professor

de universidade. Os intelectuais de São Paulo entregavam-no por uns dias aos seus colegas da Bahia, já que Bastide vinha observar, de perto, a civilização afro-baiana, que já de muito estuda, no desejo de escrever um livro sobre ela. E nós o entregamos ao povo. Ou melhor: ainda bem não o havíamos conhecido e já o encontrávamos de mistura com os negros, com os mulatos, com os pobres todos da Bahia, encharcado na onda lírica da cidade, que envolve como óleo. Recordo a espantosa conversa entre ele e a mãe-pequena da Goméia, conversa que se desenvolveu num dialeto novo, formado do francês e de nagô, onde reluziam de quando em vez, raras palavras portuguesas como presentes para nós. Como se entenderam, o sociólogo francês e a mãe-pequena baiana, não sei até hoje, é para mim mistério tão grande quanto o da Santíssima Trindade. Mas a verdade é que se entenderam e esses negros ainda não tomaram conhecimento da situação de estrangeiro de Roger Bastide. Não o aceitaram como um turista perguntador e curioso, bicho raro que quer saber daqueles pobres e ingênuos mistérios rituais. Foi como um amigo, um ogã branco, um baiano bem baiano, comedor de caruru e bebedor de aluá, que os negros o receberam na sua intimidade. Se um homem já conquistou uma cidade apenas pela simpatia e pela compreensão, esse homem foi o francês Roger Bastide na cidade da Bahia.

Embaixador da inteligência francesa para os estudantes e os demais que ouviram a sua magnífica conferência de ontem, embaixador da França de De Gaulle para todos os democratas que amam a imortal pátria do mundo latino, mas para os pretos e mulatos, para os pobres todos, Roger Bastide é o amigo. Amor que a Bahia lhe deu nos candomblés, no enterro da mãe-de-santo, na festa do presente a Iemanjá, no mercado das comidas saborosas. Amor correspondido, porém. Não sei ainda nada sobre o livro que Roger Bastide escreverá sobre a Bahia. Mas será, sem dúvida, pleno de poesia e de amor. Já vistes um francês enamorado? Assim está o professor Bastide pela cidade da Bahia. Nos candomblés onde ressoa a música sobre todas poderosa dos atabaques, as filhas-de-santo dançam para ele suas danças rituais. Oxóssi é seu amigo pessoal.

LUTAMOS PELA CULTURA
15/2/1944

NUMA CARTA QUE VENHO DE RECEBER, CER-
TO ROMANCISTA ARGENTINO, autor de um romance de grande
êxito, publicado em Buenos Aires no ano passado, informa-me
que seu livro, juntamente com muitos outros, foi colocado no ín-
dex e proibido de circular no país vizinho pela censura governa-
mental. Isso ao mesmo tempo que o general Ramírez rompe relações diplomáticas e comerciais com o Eixo.

Romper com o Eixo, no caso da Argentina, não representa
romper com o espírito do fascismo. Essa mentalidade fascista que
se introduz sagazmente nas hostes democráticas das Nações Unidas, e que tantas vezes tenho denunciado destas colunas, é o que
chamamos de muniquismo. O governo argentino rompeu com o
Eixo, mas governa dentro dos princípios fascistas. Provas? Que
coisa o fascismo odeia mais do que a cultura? A liberdade de pensamento e palavra é a característica primordial das democracias.
O novo governo argentino se atira a uma campanha formidável
contra a cultura. Três editoras foram fechadas: Anteo, Lautaro e
Problemas. Inúmeros livros foram queimados. Entre estes, naturalmente devido à grafia do nome do autor, está *A batalha aérea
pela conquista do mundo*, do norte-americano major Seversky. Um
tira da polícia política de Buenos Aires se divertia acendendo seu
charuto com páginas da *Dialética da natureza*, de Engels, ante o
editor do livro. Que diferença faz para os métodos da Gestapo?

O maestro Juan José Castro, regente do Colón, foi afastado
do grande teatro portenho somente porque dirigira ali, há meses,
uma orquestra composta de cem professores na interpretação da
Sétima sinfonia, de Chostakovitch, ou seja, uma sinfonia das Nações Unidas contra o nazifascismo. Nas universidades houve
uma verdadeira limpa de elementos democráticos. O ministro de
Instrução Pública chama-se Martínez Zuviría, conhecido pelo

pseudônimo de Hugo Wast, escritor reacionário, fascista, que nunca escondeu seu ódio à democracia. Seus últimos livros são apenas novelas antijudaicas. Já o compararam a Gustavo Barroso pela fúria fascista e a comparação é justa. Imagine-se Gustavo Garapa como ministro da Educação no Brasil e temos o panorama da cultura na Argentina atual. Atos de Hugo Wast: fechou a Universidade Obrera e todos os demais estabelecimentos onde havia livre debate. E instituiu o ensino religioso obrigatório para todos os cursos, inclusive — imagine-se! — o superior! O sr. Bruno Genta, figura importante de *El Pampero*, o diário nazi, foi nomeado diretor da Universidade de Rosário. O sábio Neuschols foi demitido da sua cátedra porque havia sido membro de uma junta de auxílio à Inglaterra, aos Estados Unidos e à União Soviética. E o professor Oliva foi expulso de sua cátedra por "perjuro", porque, tendo sido padre, largou a batina... Um professor nazi de nome Nimio de Anguim, que sofrera um processo na presidência de Ortiz por insultar os heróis do passado argentino, voltou a reger sua cátedra e iniciou seu curso com as seguintes palavras sobre a democracia: "É necessário liquidá-la (à democracia). Pais: inculcai no coração dos nossos filhos o horror a essa heresia contra Deus e a inteligência". (*sic*)

Eis aí alguns dados sobre o panorama argentino em matéria de cultura. Tudo isso recorda outros países: a Alemanha nazi, a Itália fascista e principalmente a Espanha falangista. Mas os povos, unidos, estão lutando pela cultura. Não é possível compreender nem aceitar essa perseguição deslavada à cultura dentro do próprio seio das Nações Unidas. O muniquismo está procurando assentar pé nas Américas e, desde já, montar aqui a máquina terrorista e obscurantista da mais negra reação feudal. Não nos esqueçamos que, há poucos dias, um cavalheiro escreveu um artigo pedindo censura prévia para os livros brasileiros. Os escritores reagiram imediatamente e, através uma nota de Vítor do Espírito Santo, ficamos sabendo que o homem da censura prévia é o sr. Otto Maria Carpeaux, foragido austríaco, ex-sabujo de Dolffuss, fascista à maneira clerical que os escritores brasileiros e os jornais do Brasil acolheram com excessiva amabilidade. Mascarado de cordeiro, o lobo fascista não tardou a mostrar suas unhas sujas. Mas os escritores brasileiros estão atentos e vigilantes. O exemplo da Argentina está diante de nós. Não basta vencer Hitler e Mussolini. É necessário liquidar o espírito fascista. Quem disse isso foi Roosevelt e os povos o apóiam.

MÁGICA EM GARRAFAS
16/2/1944

EIS UM LIVRO DELICIOSO: *MÁGICA EM GAR-RAFAS*. É A HISTÓRIA, NARRADA COM BOM HUMOR e vivacidade, de um heroísmo diferente, o dos sábios descobridores das drogas científicas, dos grandes remédios que diminuem a dor da humanidade. Um livro destinado a todos os tipos de leitores, nada especializado, útil para o médico e para o químico, mas especialmente a qualquer de nós, leigos em medicina. Há nele drama e fé, humorismo e ridículo, lutas pequenas em torno de grandes descobertas, mas há principalmente certa grandeza que provém do amor à ciência e à humanidade que mostra-nos ser impossível o homem recuar no tempo, como desejam os fascistas. Milton Silverman, autor do livro que Monteiro Lobato traduziu para a Biblioteca do Espírito Moderno, faz-nos acreditar que a humanidade marcha para a frente, de conquista em conquista, contra a dor e a morte. Uma conclusão política: a ciência é a antítese do nazifascismo. Este representa a aplicação da inteligência a serviço da morte e da opressão. A ciência é a inteligência a serviço da vida e da liberdade do homem.

Nas democracias, os investigadores científicos trabalham pacientemente e têm em mira beneficiar a todos os que padecem. Na Rússia de hoje a ciência foi socializada e é toda a comunidade que lucra com as descobertas dos sábios, desaparecidos os interesses subalternos. Mas, seja na Rússia ou na Inglaterra, ou nos Estados Unidos, a ciência tem uma direção: tornar a vida do homem melhor, lutar contra a dor, na batalha contra a morte que é a eterna batalha do homem. E na Alemanha nazi? A ciência ali foi acorrentada. Não falo apenas dos sábios expulsos, presos ou mortos como judeus ou esquerdistas, como democratas ou mestiços. Falo mesmo daqueles sábios arianos que o nazismo aproveitou. Mas aproveitou como? Degradando a sua ciência, colocando-a a serviço das forças bárbaras da regressão humana, levando-a a uma degenerescência, fazendo da ciência uma arma da morte e da dor contra a vida. Nada explica melhor a profunda humilhação a que o nazismo submete a ciência que a esterilização de milhares de homens e mulheres. Então, os sábios da Alemanha se transformaram nisso? Tal é a baixeza do nazismo.

Essas considerações nascem da leitura do livro de Milton Silverman, nessa manhã de chuviscos finos. Ele recorda a verdadeira missão da ciência: servir os homens. Se depois industriais gananciosos procuram nas drogas científicas apenas uma fonte a mais de lucro, a culpa não cabe aos sábios, porque estes visam a lutar contra a dor, em benefício do homem. Se políticos, como os da Alemanha, no caso do Bayer 205, procuram fazer do remédio descoberto um fator de jogo político, a culpa não é do sábio, que não limita o número dos que devem ser beneficiados pela sua descoberta.

Mágica em garrafas tem algo de desenho animado na sua construção. Creio mesmo que esse livro daria para uma série de desenhos onde o valor educativo se misturaria ao bom humor que escorre pelo volume. A morfina, o quinino, a digitális, a aspirina, as vitaminas, os hormônios, a sulfanilamida têm aí suas histórias narradas, histórias muitas vezes cheias de dramas e de lutas, luta de homens contra homens, mas, dominando tudo, a luta dos cientistas contra a morte.

A leitura desse livro leva-me a reforçar aquela fé que sempre tive: o mundo anda para a frente. E o nazifascismo representa o regresso, a volta ao passado, à dor, à morte. Nazismo contra ciência, eis aí a guerra numa fórmula. Muitas outras podem ser postas no papel: nazismo contra a cultura, contra a arte, contra a beleza. Em última instância: nazismo contra a vida.

OS "HUMANITÁRIOS"
17/2/1944

ÁLVAREZ DEL VAYO, EX-MINISTRO DO EXTE-RIOR DA ESPANHA, FIGURA ILUSTRE DA diplomacia latina, de tão destacada atuação na guerra espanhola, onde serviu à causa republicana com exemplar dedicação, vem de denunciar, em magnífico artigo, a ação da quinta-coluna fascimuniquista nos Estados Unidos. "Paz, agora" é o lema de todos os fascistas com e sem máscara. "Paz, agora", quando ainda é possível salvar os restos do fascismo, quando ainda é possível suster o ímpeto avassalador dos povos, cada vez mais conscientes dos seus desejos e das suas necessidades. O movimento contra a rendição incondicional, por uma paz de compromisso e imediata, que se desencadeia nos Estados Unidos, usando de todos os elementos de propaganda, misturando aos fascistas e aos muniquistas os ingênuos pacifistas à *outrance*, responde a interesses políticos pró-nazis. Sua composição vem revelar a influência que sobre ele exercem os grupos antijudaicos, anti-russos, antidemocráticos, e uma investigação mais profunda exibe nomes como os dos senadores isolacionistas Nye e Wheeler, mais que comprometidos com a reação muniquista, se não com o nazifascismo. Os militantes do *Peace Now* atacam Roosevelt, dizem que o grande perigo é a União Soviética, acusam os judeus de responsáveis pelo desencadeamento da guerra e dizem que a rendição incondicional é uma barbaridade. No fundo, o que eles desejam é salvar o fascismo, continuar a brutal exploração do homem, impedir o desenvolvimento da ciência e da arte e espalhar pelo mundo regimes como o de Franco. Se, em relação à política internacional, a União Soviética é o grande inimigo, para os fascistas e os muniquistas, da "Paz, agora", o presidente Roosevelt é o grande inimigo interno. Roosevelt é, nos Estados Unidos, o símbolo do antinazismo militante, de uma democracia progressista, homem que tem se levantado inclusive contra a Wall

Street, criador, com Churchill, da fórmula da rendição incondicional e criador do espírito novo da política da boa vizinhança, antes apenas pretexto para as conquistas imperialistas dos barões da finança.

Os "humanitários" ianques pacifistas, que estão a esta hora lamentando os alemães nazis e os japoneses traiçoeiros, fazem, ingênua ou cinicamente, o jogo do nazifascismo. No mundo inteiro, os elementos retrógrados, terroristas e obscurantistas procuram retomar as posições perdidas. O movimento "Paz, agora" é, tão-somente, um detalhe desse plano de reconquista de posições. As eleições americanas se aproximam e o nome de Roosevelt volta a congregar a maioria dos democratas americanos, aqueles que desejam realmente o fim do nazifascismo. Porque Roosevelt, como acentuou Browder, é a garantia oferecida pelos Estados Unidos ao mundo de que os acordos firmados e os acertos nascidos das conferências de Moscou e Teerã serão cumpridos. Sua política nós já a conhecemos e a sabemos justa e certa. Apoiado pelas correntes democráticas mais progressistas e pela esquerda, Roosevelt terá que ser alvo do sistemático combate dos isolacionistas e muniquistas. Com Roosevelt, a ameaça de fascismo para o continente americano, que avulta dia a dia, poderá não passar de simples ameaça. Sem Roosevelt, ela poderá se transformar na mais dolorosa realidade do após-guerra.

Essa luta, que se processa no interior dos Estados Unidos, interessa ao mundo inteiro e, em especial, aos latino-americanos. O fascimuniquismo não é um fenômeno nacional. É a reação internacional organizada em luta contra a liberdade do homem.

GOLPE BRANCO NA ARGENTINA?
18/2/1944

RECEBO DUAS CARTAS E UM TELEFONEMA DE LEITORES QUE PEDEM ESCLARECIMENTOS sobre os últimos acontecimentos argentinos. As demissões de ministros, a agitação nos meios governamentais, a saída ao mesmo tempo de Gilbert e de Martínez Zuviría (Hugo Wast), um inclinado para as Nações Unidas, o outro ferozmente nazi, as contraditórias notícias sobre uma declaração de guerra, desmentidas depois, e sobre o afundamento de um navio, discutidas em seguida, tudo isso vem criar um ambiente de confusão em torno à situação argentina. Atendendo aos meus leitores, procurarei dar uma explicação do caso. Parece-me que já existem suficientes elementos para tal.

Devemos partir do rompimento da Argentina com o Eixo e das razões que levaram Ramírez a esse passo. Todos sabem que o golpe de junho do ano passado, que alijou Castillo e terminou por entregar o poder a Ramírez, foi um reforçamento das correntes fascistas da Argentina, correntes que temiam as eleições próximas, onde os partidos democráticos, aliados aos da esquerda, obteriam maioria com certeza. Apesar de que as demais nações americanas não reagiram imediatamente, negando, como deviam ter feito, o reconhecimento ao novo governo totalitário, a situação, com o passar do tempo, foi se tornando difícil para Ramírez. As sucessivas acusações partidas dos Estados Unidos e da Inglaterra sobre o caráter suspeito do governo argentino (que iniciou uma violenta perseguição contra os democratas, a cultura, a arte, os judeus, a esquerda, a imprensa, isto é, contra tudo que o fascismo persegue) começaram a tomar um caráter mais sério. Após o golpe da Bolívia, os Estados Unidos ameaçaram a Argentina com sanções de ordem comercial. A aplicação dessas sanções representaria a queda do governo reacionário, que não teria a quem vender a carne e o trigo argentinos. Daí o rompimento com o Eixo, golpe de política externa que tinha por fim impedir uma ação mais drástica dos Estados Unidos em relação à Argentina. Porém, não se brinca impunemente com fogo. O simples rompimento trouxe à vida política argentina novas complicações. É verdade que a perseguição aos democratas, as prisões, os fechamentos de jornais, o clima fascista do governo continuaram. Com o rompimento, Ramírez pretendeu apenas reforçar seu governo totalitário no terreno internacional e nunca fazer uma volta à democracia. Porém Rawson brigou logo. E depois elementos menos fascistas, que também faziam parte do governo, começaram a querer levar a sério o rompimento que era uma simples farsa (como o provam sobejamente a liberdade dos elementos eixistas e a pregação fascista que continua a ser feita livremente). Veio o afundamento (ainda negado) do *Rio Iguassu*, um dos poucos navios da pequena frota mercante argentina. Gilbert e outros quiseram ir à guerra, tentando dar um caráter sério à nova política internacional do país. Os elementos pró-nazis do governo, em maioria, abafaram a tentativa. Dizem que o decreto declarando a guerra já estava assinado quando os homens do coronel Perón intervieram. Ou seja: houve um novo golpe branco, um reforçamento das posições fascistas no governo Ramírez. O rompimento com o Eixo é puramente simbólico e em nada modifica a situação. Mais do que nunca está forte o fascismo na Argentina, principalmente após a eliminação dos elementos pró-Nações Unidas que ainda restavam no governo.

Fica uma pergunta: e a demissão de Zuviría (Hugo Wast)? Bem, essa é uma vitória democrática. É possível que tivesse sido uma concessão dos fascistas à opinião continental, alarmada com os atos de Torquemada* desse nazista sem máscara. Por outro lado, o professorado argentino estava numa espécie de greve permanente contra as ordens do ministro fascista, numa resistência

---

* Frei Tomás de Torquemada, inquisidor espanhol que autorizou a prática de tortura para conseguir confissões e foi um dos responsáveis pela expulsão dos judeus das terras espanholas, decretada em 1492.

passiva admirável. No barulho, Zuviría sobrou. Mas a sua saída não chega a enfraquecer o grupo fascista que dominou, parece que completamente, o governo. Pelo menos a presidência da República se apressou a desmentir a notícia da declaração de guerra e até do afundamento. Mas esse mesmo governo também desmentiu, não faz muito, a notícia da presença de marinheiros argentinos em submarinos do Eixo; os tais marinheiros estão presos no Brasil e suas fotos foram publicadas pela imprensa...

ONDA DE ACONTECIMENTOS
26/2/1944

POUCOS DIAS COM TANTOS ACONTECIMEN-TOS POLÍTICOS E MILITARES. A libertação de Vitebsk, que os alemães tiveram de abandonar já que não podem mais conter o avanço dos soldados soviéticos; o novo golpe branco na Argentina, que alijou Ramírez, subitamente necessitado de tratamento para sua saúde que, até a véspera, parecia de ferro. E, finalmente, as declarações do chanceler Osvaldo Aranha sobre as possibilidades de reatamento das relações diplomáticas entre o Brasil e a União Soviética. Três fatos que merecem os mais amplos comentários. Cada um deles basta para um longo artigo. A importância militar de Vitebsk na continuação da ofensiva soviética e na liquidação final dos germano-fascistas na frente leste; a importância política do golpe branco na Argentina para o desenvolvimento de toda política continental; a importância econômica do possível reconhecimento da União Soviética; eis aí matéria para longos considerandos.

Os nazis, perdendo Vitebsk, perdem um dos seus baluartes na frente leste. Vitebsk era um dos pontos que ainda podiam demorar a arrancada russa para além das fronteiras soviéticas. Era um dos centros básicos da batalha atual. A sua perda tem uma excepcional importância para a Alemanha. Como irá Hitler explicar ao povo alemão mais esse fracasso?

As retiradas estratégicas, os encurtamentos de linha, os recuos vitoriosos, já devem parecer excessivos aos alemães que pensavam em gozar, por séculos, do trigo da Ucrânia e do petróleo de Baku.

O golpe que afastou Ramírez do poder onde parecia estar tão forte (segundo a sua propaganda oficial), ao que tudo indica, é um reforçamento do fascismo no país vizinho.

Desde o rompimento com o Eixo, provocado pelas ameaças de sanções norte-americanas contra a Argentina neutralista, o governo de Ramírez se encontrou ante séria crise. O rompimento deu forças, como é natural, aos elementos democráticos e o povo veio à rua. Houve imediatamente um ascenso democrático que preocupou os fascistas do coronel Perón. O afundamento posterior de um navio argentino veio trazer à discussão uma possível declaração de guerra à Alemanha. Segundo os jornais, a declaração chegou a ser assinada. Mas os fascistas pressionaram e houve um primeiro golpe branco, no qual sobrou Gilbert, ministro do Exterior, ao que parece, favorável às Nações Unidas.

Os fascistas de Perón dominaram novamente o governo. Mas a crise continuou, pois o desequilíbrio entre a política externa e interna criava dificuldades de toda ordem. Mais uma vez a crise cresceu e Perón viu-se na contingência de apresentar sua renúncia. Era a quebra da ditadura fascista. E mais um golpe branco veio reforçar a posição dos elementos pró-nazis. Perón continua a mandar e Ramírez, o ídolo de ontem, é agora apenas um ex-ditador.

Como os cações, os fascistas estão se comendo uns aos outros na Argentina. Primeiro foi Castillo, logo Rawson, depois Gilbert e Hugo Wast e agora Ramírez.

No caminho em que vai, o governo argentino, apesar de rompido com o Eixo, terminará nas mãos de Oses, o diretor do ex-*El Pampero*, hoje *El Federal*. Resta uma pergunta: as nações americanas reconhecerão o novo governo fascista?

E por falar em reconhecimento recordemos, ligeiramente embora, as palavras do ministro Osvaldo Aranha. A possibilidade do reconhecimento da Rússia pelo Brasil foi levantada pelo nosso ministro do Exterior. Queremos lembrar aqui apenas uma das vantagens desse reconhecimento: o enorme mercado que se abrirá para os produtos brasileiros. Teremos na União Soviética um excelente freguês para a nossa exportação. Se outras razões não houvesse para o reconhecimento, essa seria, por si só, de bastante peso, suficiente para que o problema fosse estudado com o maior interesse. As declarações do ministro Aranha provam que o reconhecimento da União Soviética está sendo estudado.

OLGA, VLADIMIR E MILITSA
28/2/1944

HOJE, MILITSA É A ALEGRIA DOS MOMEN-
TOS RAROS DE DESCANSO DO MARECHAL TITO, o grande Josip
Broz da Iugoslávia. Seu sorriso infantil enche de graça e de ino-
cência o quartel-general do libertador. Ela vai com os soldados de
pouso em pouso nesta incerta vida de guerrilheiro, hoje aqui,
amanhã ali, ao sabor dos acontecimentos. Contra esse punhado
de heróis, Adolf Hitler envia divisões e divisões. Do outro lado
estão também os traidores muniquistas, os asseclas de Mihailovic,
o entregador. Nas montanhas, emboscados, surgindo nas cidades
subitamente, atacando os trens de munição, destruindo as estradas onde passam os tanques e os caminhões, assaltando quartéis e
acampamentos, desembarcando em meio à noite nos portos, em
toda a Iugoslávia, como fantasmas de um tempo novo, surgem os
guerrilheiros de Tito. E com eles vai Militsa, filha adotiva de Josip
Broz, o marechal.

A história de Militsa é a própria história do movimento libertador iugoslavo. Em alguma parte das montanhas da Bósnia está
o túmulo de Olga, mãe de Militsa. Caiu ferida no combate, ainda
se arrastou durante nove dias, na retaguarda dos soldados, apoiada no braço do marido, Vladimir, guerrilheiro ele também. A família Dedier ficará na história desta guerra dos povos contra a tirania nazifascista como símbolo e exemplo. Nos tempos da paz,
Vladimir redigia nos jornais sua pregação democrática e antifascista. Era um daqueles muitos jornalistas a quem a quinta-coluna
nunca pôde subornar, a quem o ouro dos nazis jamais pôde comprar. Um dos irredutíveis, um daqueles que jamais pararam sua
patriótica campanha. Contra esses intelectuais democráticos, em
todas as Iugoslávias do mundo na época do nazifascismo em ascenso, levantaram os inimigos do povo as mais variadas acusações. Mais de uma vez esteve Vladimir preso e, certa ocasião, foi

obrigado a procurar asilo nos Estados Unidos. A força da quinta-coluna se lançava contra ele.

Um dia, em meio à sua pregação democrática, conheceu Olga, recém-formada em medicina e militante da juventude antifascista. Casaram-se e juntos continuaram sua tarefa de esclarecimento popular, de combate aos monstros nazifascistas. Veio a guerra, no mesmo ano em que Militsa nasceu daquele amor. Veio a invasão da Iugoslávia. As tropas de Hitler e de Mussolini depredavam lares, assassinavam velhos, mulheres e crianças. A suástica substituía as livres bandeiras iugoslavas nos dias sombrios da opressão. Mihailovic colaborava com os invasores, enquanto anunciava ao mundo uma reação que não existia.

Mas, nas montanhas e nos bosques, os patriotas se reuniam. Tito viera dos campos de concentração da França que sucederam à guerra da Espanha, onde ganhara suas dragonas de oficial. E se colocou à frente dos antifascistas. Nas montanhas estavam médicos e engenheiros, sábios e poetas, operários e artistas, camponeses e técnicos. De súbito terminava ali toda a distinção de classe e de raça. Restava apenas o desejo ardente de libertar a pátria. E assim começou a epopéia dos *partisans*. Entre eles iam Olga e Vladimir, levavam Militsa consigo, a mais jovem de todas as guerrilheiras do mundo.

Olga tombou nos combates da Grande Montanha da Bósnia. Nove dias andou ferida, apoiada no braço do marido. Depois Vladimir cavou, com sua faca de guerrilheiro, o túmulo onde a esposa dorme. O marechal Tito adotou Militsa. No Cairo, onde esteve fazendo parte de uma missão enviada por Josip Broz, Vladimir contou sua história aos correspondentes de guerra. Nos seus olhos claros não havia lágrimas. Havia um brilho seco, uma decisão inabalável: vingar sua esposa e sua pátria. Hoje ele está de novo de fuzil ao ombro, nas montanhas da Iugoslávia, ao lado de Tito. Militsa é a alegria do acampamento de guerrilheiros. A bandeira da pátria libertada sobe nos mastros onde a suástica estivera antes. Outras Olgas marcham de fuzil a tiracolo. E Militsa aprende o verdadeiro sentido da grandeza humana!

EM DEFESA DA CULTURA
2/3/1944

A ASSOCIAÇÃO BRASILEIRA DE ESCRITORES, SOCIEDADE DE CLASSE DOS profissionais da literatura (cujo núcleo estadual infelizmente ainda não foi fundado na Bahia), acaba de eleger sua nova diretoria. Na presidência foi colocado Aníbal Machado, cuja vida é uma lição de antifascismo. E na mesma reunião foi lavrado um protesto contra a apreensão, pelo DEIP [Departamento Estadual de Imprensa e Propaganda] do Rio Grande do Sul, do romance *Fronteira agreste*, estréia de Ivan Pedro de Martins, que vem obtendo grande êxito de crítica. O livro foi proibido como "pornográfico", ou seja, dentro daquele conceito de "arte degenerada" com que o fascismo classificava todas as obras de arte realistas e democráticas. Façamos notar que a atitude do órgão gaúcho de censura foi tomada na ausência do escritor Manoelito d'Ornelas, seu diretor, por um sr. Ângelo Guido, mau pintor e pessoa de suspeita tendência política. Espera-se com confiança que Manoelito d'Ornelas, espírito realmente democrático, pessoa boníssima além de escritor de méritos, ponha abaixo a infeliz decisão do seu auxiliar saudoso dos tempos em que a quinta-coluna dominava os setores da cultura e da arte. O público espera ansioso o romance de Ivan Pedro de Martins que, durante os dias de exposição e venda, obteve grandes elogios da crítica, sendo considerado a mais importante estréia do ano passado.

Não ficou, porém, unicamente neste protesto a atitude dos escritores brasileiros, por intermédio da sua associação de classe, em relação à censura de livros. Sabe-se que a quinta-coluna cultural, encabeçada pelo insultador de Romain Rolland, o dolfista Otto Maria Carpeaux, vem pleiteando a censura para livros e traduções a serem lançados pelos editores brasileiros. Muita gente quebrou a cabeça procurando os motivos que teriam levado o pequeno Carpeaux a tão sujo gesto, logo denunciado por Vítor do

Espírito Santo, que pediu que todos os brasileiros gravassem o nome do defensor da "rolha" para a literatura, logo combatido por todos os escritores dignos, a começar pelo romancista José Lins do Rego, o notável criador das histórias da cana-de-açúcar. Um amigo meu, escritor, pedagogo e jornalista, que há pouco passou por aqui em rápida visita aos seus, explicou-me:

— Não há mistério nenhum... O senhor Otto Maria Carpeaux vem de ser naturalizado brasileiro e está atrás de um emprego público. Nenhum se lhe afigura melhor que o de censor de livros e traduções. Daí sua proposta, que mereceu uma violenta repulsa...

Está aí uma explicação simples e que parece justa. A verdade é que — por este ou por outro motivo qualquer — o sr. Carpeaux e outros fascistas e quinta-colunistas tentaram estabelecer a censura para os livros nacionais e para as traduções de livros estrangeiros. A literatura brasileira sempre foi antifascista, popular e democrática. A censura só poderia servir aos interesses do fascismo. Houve um tempo — não vai distante — em que os escritores brasileiros foram vítimas de todas as injúrias e foram molestados de todas as maneiras. A quinta-coluna, hoje desmascarada, dominava o front cultural. Fogueiras de livros levantaram-se, inclusive na Bahia democrática, em dias sombrios e, entre outros, livros meus foram queimados.

Agora, porém, os escritores, por sua associação de classe, protestaram contra qualquer possibilidade de censura para livros. "Esses métodos fascistas", disseram eles, "devem ficar para Hitler e Mussolini e não para um Brasil aliado das Nações Unidas". Daqui trago a minha solidariedade ao protesto da Associação Brasileira de Escritores. Creio que todos os escritores baianos estão solidários com a atitude da sua associação de classe. Resta perguntar: por que ainda não se fundou na Bahia o núcleo estadual da Associação Brasileira de Escritores?

DEMOCRACIA EM AÇÃO
8/3/1944

COMO OS FRANCESES LIVRES DE DE GAUL-
LE ESTÃO JULGANDO, CONDENANDO e executando os traidores
da pátria, aqueles que entregaram ou ajudaram a entregar a França
aos nazistas, há quem, partindo desse fato, diga que a democracia
francesa está podre e negue à França o direito de estabelecer o
seu governo. O curioso artigo, bem examinado, aponta, no entanto, outros interesses. O articulista, que não se esquece de sol-
tar, de passagem, uns dois adjetivos elogiosos à Inglaterra e aos
Estados Unidos, termina fazendo o elogio de Giraud contra De
Gaulle e dando razão a Mussolini ao proibir os partidos políticos.
Tudo isso porque os franceses livres estão condenando os traidores
da pátria.

Será realmente este um sinal de que a França está cancerosa,
como diz o articulista nacional? Ou será, ao contrário, um sinal
de que a sua democracia está agora ativa, disposta a corrigir os
erros do passado? Diz o articulista que a França e a Itália se encontram em verdadeiras guerras civis. E é natural que assim seja, já que nem a França nem a Itália querem continuar a serem
governadas por gente como Daladier, Reynaud, Giraud ou Vítor Emanuel e Badoglio. Vê-se bem claro o interesse do articulista: a continuação de um estado de coisas como o anterior à
guerra. Na França, o domínio de um grupo politiqueiro que ar-
mou o nazismo, sob a direção das duzentas famílias que alimen-
tam determinados jornalistas. Na Itália, o fascismo monárquico
mascarado em uma ditadura militar de Badoglio ou qualquer outro duque… Exatamente isso é o que não querem a França e a
Itália. Por isso os italianos estão discutindo, fazem greves, comícios, paradas, discursos. Querem a democracia que lhes foi pro-
metida e não o governo parafascista de Badoglio. Por isso não
estão lutando ativamente ao lado dos soldados aliados. Porque

as suas reivindicações ainda não foram satisfeitas. Os franceses, vítimas de quanto canalha subiu na política, querem, o que é justíssimo, limpar o ambiente de sua pátria dos pústulas que negociaram a liberdade da França e que, agora, quando vêem o barco do nazismo naufragar, tentam engajar nas hostes das Nações Unidas para continuarem a trair e explorar o povo. A luta que De Gaulle vem sustentando contra esses sujos sem nenhum caráter é das coisas que mais o honram, e o apoio que lhe presta o povo francês é sinal de que neste povo oprimido pelo bárbaro invasor alemão é viva a chama da liberdade, é real o sentimento democrático. Na França em ebulição, com os tribunais de Argel em funcionamento, com a guilhotina pronta, está sendo plasmada a verdadeira democracia, aquela que não trairia a Espanha, não entregaria a Tchecoslováquia e não permitiria o desastre francês, se já existisse antes. O articulista alarmado (ou interessado apenas na continuação da sujeira?) teme outro Terror como o da Revolução Francesa. Não acredito que haja outro Terror. Mas, com certeza, os franceses, e os italianos também, castigarão os traidores da pátria não permitindo que os áulicos de ontem do fascismo tomem parte na vida política da França de amanhã. O articulista parece confundir (e o faz de propósito, para servir seus interesses) unidade nacional com a absolvição de todos os traidores da pátria. Unidade nacional significa união de todos os patriotas contra o fascismo e não contemporização com todos os fascistas e parafascistas que já não crêem na vitória de Hitler. Os franceses estão realizando muito bem sua unidade nacional sob a bandeira de De Gaulle e sobre o julgamento dos traidores da pátria.

DEMOCRACIA
LATINO-AMERICANA
12/3/1944

O DEPARTAMENTO DE ESTADO PARA AS RE-
LAÇÕES EXTERIORES DOS ESTADOS UNIDOS vem de se interes-
sar pela sorte dos presos políticos antifascistas que sofrem nos
campos de concentração da República do Paraguai, aliada das
demais Nações Unidas. O ministério norte-americano para os
negócios exteriores dirigiu-se à sua embaixada em Assunção,
solicitando amplas informações sobre o destino de uma série de
homens, conhecidos por suas idéias antifascistas e presos exatamente por este motivo. A ação do Departamento de Estado deve-
se a um pedido do Conselho Pró-Democracia Pan-Americana, que
funciona em Nova York. Há nos Estados Unidos um grande movimento em favor dos presos políticos antifascistas do Paraguai,
entre os quais se encontram professores, oficiais do exército, estudantes, escritores etc. Ao que se relata, as condições de vida
desses lutadores democráticos são as mais terríveis. Apesar de que
o Paraguai encontra-se na guerra contra o nazifascismo, ao lado
das Nações Unidas, os democratas e antifascistas de longa tradição de luta têm sofrido horrores no país latino-americano, como
se fossem eles os inimigos da pátria e não os nazistas. É uma es-
tranha situação, mas ela não encerrará grande mistério se formos
apurar as relações do Paraguai com o governo argentino atual.

Várias vezes temos falado aqui, nestas crônicas, no plano muniquista para dominar a América Latina, estabelecendo nos nossos países ditaduras fascistizantes que representem uma política
internacional favorável às democracias, mas que mantenham vivas as fórmulas de governo do fascismo, preparando-se para ser
uma barreira da reação contra a democracia do após-guerra. O
Paraguai é, neste sentido, um exemplo perfeito.

Apesar da lealdade com que os democratas e antifascistas paraguaios propuseram ao governo, que declarou guerra ao Eixo, uma ampla unidade nacional, que reunisse para a luta comum a totalidade das forças políticas antifascistas do país, apesar de que esses elementos democráticos agiram magnificamente quando da declaração de guerra, colocando-se à margem de qualquer oposição desde que o governo resolvesse fazer a luta a sério, apesar de tudo isso o governo do Paraguai não deixou de persegui-los à melhor maneira indicada pelo dr. Goebbels. Os verdadeiros antifascistas jazem em calabouços e campos de concentração célebres no continente, como os de Fortín Peña, Fortín 4 de Julio e Bahía Negra. Foi assim que o governo de Morínigo respondeu à patriótica atitude dos antifascistas.

Este é o panorama da "democracia" paraguaia. O da Argentina nós o conhecemos e também o da Bolívia. Este plano de dominar a América Latina, implantar nos países da América do Sul regimes fascistizantes que tomem posição na política internacional ao lado das Nações Unidas, é um dos sonhos mais ardentes das capas reacionárias que nos anos anteriores produziram o nazismo na Europa.

Felizmente esboça-se uma repulsa a este plano em todo o continente. O Congresso de Trabalhadores Latino-Americanos, recentemente reunido em Montevidéu, sob a presidência de Lombardo Toledano, votou unanimemente, como primeira decisão, um apelo pela liberdade dos presos políticos antifascistas da América. O governo dos Estados Unidos, que vem combatendo a farsa argentina, que chefiou a reação contra o fascismo boliviano, sai agora em defesa dos presos políticos do Paraguai.

Sobre todos nós estende-se um grave perigo. O perigo de termos o fascismo implantado na América Latina quando ele estiver derrotado militarmente na Europa. É necessário lutar para que isso não aconteça. Para que a democracia na América Latina seja uma realidade e não apenas a farsa dos Peróns, sejam eles argentinos, bolivianos ou paraguaios...

CONCILIAÇÃO IMPOSSÍVEL
16/3/1944

O PEQUENO REI PEDRO DA IUGOSLÁVIA ES-
TÁ EM LONDRES. PROCURA FÓRMULAS conciliatórias para o caso iugoslavo. Pretende, como concessão ao povo da sua pátria, representado pelo marechal Tito, afastar alguns dos velhos ministros
mais fascistizantes. Preocupa-se no entanto em conservar no comando de forças o general Mihailovic, cavalheiro já agora totalmente desmascarado como colaborador dos nazistas na obra infa-
me de oprimir a Iugoslávia. É claro que o pequeno rei não vai
conseguir, por maior que seja a sua boa vontade (e o seu interesse
de não perder o trono), conciliar o povo iugoslavo revoltado contra
os nazistas, que é Tito, com o traidor que auxilia os opressores, que
é Mihailovic. O povo iugoslavo repelirá toda e qualquer concilia-
ção. O seu caminho já está marcado, a revolta ruge no seio desse
povo, os invasores estão sendo liquidados pelo Exército Popular de
Libertação e o novo governo nascido da luta já foi constituído.

No entanto, o estudo do caso iugoslavo é do maior interesse
para todos os democratas porque, ali, antifascismo e democracia
reais lutam sua primeira grande batalha contra o muniquismo. O
rei Pedro simboliza, neste momento, o muniquismo em ação. Há
um grupo de homens, armados de mesquinhos interesses, que desejam impedir a paz popular, a paz democrática após a vitória.
Que deseja uma paz de compromisso com os regimes de opressão, uma paz que seja apenas um intervalo entre esta e uma próxima guerra. Em todo o mundo estes homens, inimigos dos povos
tão perigosos quanto os nazifascistas, estão agindo. Na América,
em especial na América Latina, da qual imaginam fazer uma barreira fascista contra a Europa democrática, na Ásia para uma paz
que impeça o crescimento, a industrialização, a libertação econômica da China, conservando um Japão fascista e forte, e na Europa,
onde sua luta é mais difícil, contra as forças democráticas e popu-

lares. São os criadores de governos títeres, os sustentadores dos provocadores poloneses do governo de Londres, são os reis da Iugoslávia e da Grécia, são os generais como Mihailovic, são os inimigos de De Gaulle, são os inimigos da União Soviética, os adversários de Roosevelt, são os anjos protetores de Franco, os que cantam loas ao governo de Salazar (este Salazar que anuncia a permanência dos regimes de força no após-guerra), os fabricantes de armas, os líderes de trustes, os internacionais do obscurantismo e da reação.

Na Iugoslávia eles estão jogando sua primeira grande batalha contra o povo europeu, como na Argentina estão jogando sua grande batalha contra o povo americano. De um lado estão Tito, o governo popular, os anseios democráticos e libertários dos iugoslavos. De outro lado estão o rei, o exército colaboracionista de Mihailovic, os desejos de certa minoria que pensa conservar os métodos fascistas do governo. Não temos dúvidas de que a vitória caberá ao povo. Mas é necessário que todos os patriotas, todos os democratas, em todos os países do mundo, estejam atentos a estas manobras, prontos para combatê-las e para denunciá-las. O exemplo magnífico do povo iugoslavo deve servir para todos os povos nesta hora em que a batalha da paz toma importância quase igual à batalha militar.

FREDA KIRCHWEY DENUNCIA
17/3/1944

FREDA KIRCHWEY É NÃO SÓ UMA DAS MAIO-RES, COMO UMA DAS MAIS CORAJOSAS jornalistas norte-ameri-canas. Seus artigos durante a guerra atual têm sido dos mais jus-tos e não tem tido ela papas na língua na denúncia do complô muniquista contra a paz dos povos, como não teve meias medi-das ao denunciar Hitler e sua quinta-coluna quando ainda as democracias se demoravam na política de não-intervenção e de paz a toda a custa, entregando a Espanha, Tchecoslováquia, a Áustria e a Abissínia ao nazifascismo. Vem, agora, a ilustre arti-culista norte-americana denunciar o plano muniquista para a América Latina, num impressionante artigo que *A Tarde* publi-cou em sua edição de quarta-feira. Eis aí um artigo que devia ser lido e meditado por todos os patriotas. Ele explica muitas das coisas aparentemente inexplicáveis, que se têm passado nes-te lado do mundo. Põe os pontos nos *ii*. Esclarece o golpe ar-gentino e desmascara o golpe boliviano. E mostra por detrás de tudo isso a máquina do muniquismo agindo no sentido, como afirma Freda Kirchwey, da "criação de forte bloco de Estados militaristas, dirigido particularmente contra os Estados Uni-dos". O desenvolvimento desta política — segundo Freda —, partindo de Buenos Aires, abrangeria o Paraguai, a Bolívia, o Chile e o Peru. Os seus reflexos são sentidos, porém, até no dis-tante e democrático México. E — ainda segundo a conhecida diretora do *The Nation* — o Paraguai e a Bolívia já foram absor-vidos por esta política favorável ao fascismo. Escreve ela esta in-discutível verdade:

O progresso que a causa da democracia e das Nações Unidas está fazendo na América Latina acha-se sob a ameaça de ser entravado: se as coisas continuarem a se desenvolver na mesma direção talvez saiamos dessa guerra vitoriosos somente para ver o fascismo triunfante na América Latina.

O mesmo temos afirmado destas colunas mais de uma vez, na denúncia do plano fascimuniquista para dominar o continente americano, fazer dele uma barreira contra uma paz democrática e popular, colocá-lo em oposição a uma Europa verdadeiramente livre. Este o sonho dos muniquistas e da quinta-coluna que vêem ruir nos campos de batalha a sua experiência nazista.

Impedir uma paz popular, impedir a democracia, impedir a liquidação política do fascismo: eis a meta dos muniquistas. Eis aí o grande perigo que vemos hoje, ante a América. Perigo que se alastra pelo continente, após os golpes da Bolívia e da Argentina. Freda Kirchwey analisa em seu magnífico artigo as causas das vitórias muniquistas na América Latina. E diz: "O crescimento do fascismo na América Latina é o resultado da nossa insistência em não travar esta guerra como uma guerra pela democracia, mas como uma empresa puramente militar". Daí certo desinteresse das massas populares pela guerra, sua abstenção ante o conflito, sua atitude de espectativa. Porque, como afirma Freda Kirchwey,

> Enquanto as Nações Unidas não tiverem a oferecer à América Latina nada de melhor do que uma política de apoio a ditaduras opressivas, não fazendo distinção entre reacionários e democratas, a conspiração ideada em Buenos Aires e vitoriosa na Bolívia só poderá ter êxito após êxito.

Aí estão palavras que merecem ser meditadas. Existe um perigo real. É preciso que os patriotas latino-americanos tomem decidida posição contra o plano muniquista. Sem o que teremos realizada a triste profecia da jornalista ianque: sairemos vitoriosos desta guerra apenas para ver o fascismo triunfante na América Latina.

A LIÇÃO HÚNGARA
23/3/1944

HITLER OCUPOU A HUNGRIA, PAÍS ALIADO DA ALEMANHA NA GUERRA CONTRA AS DEMOCRACIAS. O fascismo húngaro, dos mais cruéis e bárbaros entre quantos dominavam pequenos países, sonhou sonhos de grandeza que deviam resultar da sua aliança com o nazismo alemão. Esses sonhos de grandeza acabam de vir abaixo, a Hungria está reduzida à simples condição de país ocupado, igual a qualquer dos que se bateram contra Hitler: a Grécia, a Polônia, a Bélgica. De nada adiantou ao regente Horthy ter levado o seu país a uma guerra contra os seus verdadeiros interesses. A invasão da Hungria pelas tropas alemãs vem provar mais uma vez que nenhuma pátria é realmente independente se para ela se voltam os planos do nazismo. A aparente independência política que restava à Hungria aliada do Eixo só existiu enquanto Hitler não a considerou perigosa para os seus desígnios.

A vitoriosa campanha dos exércitos soviéticos que se aproximam das fronteiras da Europa Central e dos Bálcãs, a proximidade da abertura da segunda frente, o continuado bombardeio das cidades eixistas, o progresso da campanha da Itália, tudo isso inquieta e amedronta os governos aliados da Alemanha. Finlândia, Romênia, Hungria, Bulgária, foram fascismos nacionais que se atrelaram ao carro-chefe do nazismo na certeza de que a vitória considerada inevitável lhes trazia a permanência no poder sobre os povos durante muitos e muitos anos. Porém a vitória inevitável transformou-se, ante os êxitos aliados, em inevitável derrota. E Finlândia, Romênia, Hungria, Bulgária e seus fascismos nacionais, começaram a imaginar a melhor maneira de abandonar o navio em perigo do Eixo, tentando salvar os métodos feudais de governo contra a paz democrática dos povos.

As negociações de paz tentadas pela Finlândia junto ao governo de Moscou terminaram com a recusa de Mannerheim a aceitar as generosas propostas soviéticas. Assim à primeira vista parece tratar-se de uma vitória de Hitler que conseguira manter junto a si seu principal aliado na guerra contra a União Soviética. Mas a verdade é que a simples proposta de armistício partida do governo finlandês já é uma derrota nazista no campo político, aumentada pelas dezenas de votos de parlamentares que estiveram de acordo com as propostas russas. Também a Romênia, outro aliado eixista que sente nas suas fronteiras o ruído dos canhões de Stálin, realiza sondagens de paz. A inquietação se estende pelos Bálcãs.

Hitler, na perspectiva de uma proposta de paz partida da Hungria, ocupou o país e meteu na cadeia os fascistas que estavam no poder e eram seus aliados. *Quislings* merecedores de maior confiança substituíram no poder aqueles que ligaram a sorte da Hungria à da Alemanha. A fictícia independência húngara era uma comédia que teve ontem o seu desfecho. Não será difícil que ocorra o mesmo com a Romênia, com a Bulgária ou com países mais distantes. Por exemplo: Franco, também alarmado com as vitórias aliadas, não tardará a se movimentar numa aproximação maior das democracias. Não será impossível que tenhamos amanhã uma Espanha ocupada, igual à Hungria de hoje.

Existe porém algo que nos conforta: em diversos lugares o povo húngaro resistiu à ocupação alemã. Apesar de tiranizado pelo fascismo bárbaro de Horthy, o povo húngaro ainda pôde demonstrar seu horror ao nazismo e seu desejo de lutar pela liberdade.

FOGO MORTO
24/3/1944

VOLTA O ROMANCISTA JOSÉ LINS DO REGO AO SEU GRANDE PÚBLICO COM UM LIVRO que é um dos romances mais importantes que se publicaram em nosso país, nos últimos anos: *Fogo morto*. Mais uma história de engenhos de açúcar, de homens do campo do nordeste, história que traz novamente o romancista ao seu assunto preferido, aquele que o celebrizou e que marcou seu lugar na literatura nacional. *Fogo morto* é, em verdade, mais um volume do ciclo da cana-de-açúcar, ciclo que José Lins do Rego dera como terminado em 1937, com a publicação de *Usina*.

Foi desigual a obra do romancista paraibano publicada após o romance final do ciclo em que narrou a história do açúcar, dos seus senhores feudais, dos seus moleques de engenho, dos seus moços estudantes na cidade do Recife, dos seus camponeses que fugiram para as fábricas da capital. Existe, nos cinco livros que formam o ciclo, um equilíbrio bem maior de qualidades do que nos quatro romances publicados posteriormente, antes de *Fogo morto*. Se *Bangüê* é, evidentemente, a obra-prima dos cinco volumes do ciclo, a verdade é que *Menino de engenho* e *O moleque Ricardo* pouco lhe ficam a dever em importância e *Doidinho* e *Usina* (este o mais fraco dos cinco) estão perfeitamente no nível dos demais. Já a obra posterior não apresentou este mesmo equilíbrio. *Pureza* é apenas uma novela agradável, que não trouxe nenhum aumento à popularidade do escritor e que não revelou nenhuma novidade técnica, nenhuma qualidade nova do romancista. Já *Pedra Bonita*, publicado um ano depois, está ao lado de *Bangüê* e *Fogo morto* como um dos três maiores livros de José Lins do Rego. Livro denso e poderoso, onde o narrador admirável se revela em toda a sua força de criação. *Riacho Doce*, escrito em seguida, parece-me o menos importante dos romances de José Lins. Muito inferior a todos os demais, chegando a dar uma falsa idéia de decadência daquele que é um dos primeiros nomes da nossa ficção em todos os tempos. *Água-mãe*, se bem melhor que *Riacho Doce*, não veio modificar essa impressão da crítica que começava a se generalizar.

De repente, porém, José Lins do Rego põe abaixo todas essas conversas, todos esses boatos, publicando uma verdadeira obra-prima que é este *Fogo morto*, onde retoma seus velhos temas para criar o mais popular e, talvez, o mais forte dos seus livros. Quando escrevo o mais forte não me esqueço de certas páginas de *Bangüê*, dificilmente superáveis, ou de algumas cenas de *O moleque Ricardo*, tão poderosas. Mas em *Fogo morto* há uma harmonia de conjunto, um equilíbrio em todo o romance, alguma coisa que mostra o autor inteiramente dono do assunto, inteiramente à vontade, uma capacidade de comunicação com o leitor que supera tudo que José Lins do Rego escreveu até agora. Entre os criadores de tipos do romance nacional, José Lins do Rego tem sido dos que mais enriqueceram a galeria de personagens da nossa literatura. Já é impossível falar de romance brasileiro sem citar o velho José Paulino, Carlos de Melo, o moleque Ricardo. E, de agora em diante, sem falar no capitão Vitorino e no mestre José Amaro.

Parece-me que 1943 foi um ano muito importante para o romance brasileiro. A volta de Oswald de Andrade e de José Geraldo Vieira, a estréia de Ivan Pedro de Martins, já eram suficientes para que saudássemos o ano passado como dos mais valiosos para a nossa ficção. Cresce, porém, essa importância com a saída de *Fogo morto*. Com ele retorna ao seu grande público um escritor do povo brasileiro que é, também, um lutador da democracia, cuja obra tem sido, toda ela, de um antifascista, a de um homem que procura fazer do povo — como ele mesmo escreveu — o personagem mais importante dos seus romances.

P. S.: *Fogo morto*, não sei bem por quê, traz um prefácio do sr. Otto Maria Carpeaux. Aconselho aos leitores que pulem as páginas sem ler o tal prefácio, que é uma das coisas mais burras que o sr. Carpeaux, gênio fabricado pela ingenuidade provinciana de alguns críticos e subliteratos do Rio, já escreveu entre nós, o que é dizer muito. — J. A.

NOVOS MÉTODOS DA QUINTA-COLUNA
30/3/1944

A QUINTA-COLUNA, ESPECIALMENTE DE-POIS QUE A ELA SE INCORPORARAM os elementos muniquistas de todo o mundo, os isolacionistas, os neutralistas, esses que querem ganhar a guerra e fazer uma paz contra os povos, a quinta-coluna usa métodos novos nas suas arrancadas contra as forças democráticas em guerra. Se ainda usa velhos slogans desmoralizados como o do "perigo bolchevista", por outro lado trabalha no sentido de conseguir novas fórmulas com que dividir e criar confusão.

Uma das coisas que mais causaram admiração ao mundo, nesta guerra, foi a unidade do povo russo na luta contra o nazifascismo. Unidade férrea, inquebrantável, decisivo fator para as espetaculares vitórias que se sucedem nos dias de hoje. Nem mesmo os alemães puderam anunciar o surgimento de um *quisling* ou de um desertor russo. A União Soviética era um bloco só, onde operários e padres, dirigentes e escritores, camponeses e músicos, trabalhavam com um único fim: derrotar o invasor nazista. Pois bem: no meio do serviço telegráfico de ontem, sobre a guerra na Rússia, podem os leitores encontrar um pequeno despacho, procedente de Nova York, onde é anunciada a possibilidade de um conselho de "russos brancos", que se denominaria "governo da Rússia Branca", a serviço dos nazistas e onde é feita misteriosa referência a uma unidade bielo-russa que teria desertado para os alemães. Tudo — conselho e deserção — muito vago, misterioso e esotérico. Nenhum dado concreto, nenhum fato afirmado realmente, nenhum nome, nada. Mas a confusão. Mas a possibilidade de levantar uma dúvida no espírito do leitor desprevenido sobre a possibilidade de *quislings* russos e de soldados soviéticos desertores. Desejo de criar no espírito do povo essa idéia falsa. E sem dúvida algum leitor descuidado é capaz de ir na onda, apesar de ser incrível que surjam os *quislings* no momento exato da derrota nazista, *quislings* que não surgiram quando o exército de Hitler avançava. O leitor, cuidadoso, porém, faz essa reflexão e em seguida pergunta:

— De onde provém a informação que deu margem ao telegrama? — e vai ler o despacho novamente.

E então tudo se esclarece. Porque a fonte é a rádio oficial do governo polonês, ou seja, de um governo muniquista, que até agora só tem feito mostrar sua simpatia pela Alemanha e seu ódio aos russos.

Já não pode restar dúvidas quanto à falta de veracidade da notícia. Foi esse mesmo governo quem afirmou que os russos mataram 15 mil poloneses, fazendo sua uma provocação de Goebbels. O governo polonês de Londres como o governo do rei Pedro da Iugoslávia são pontas de lança da quinta-coluna no coração das Nações Unidas. Trabalhando para ganhar a paz. A guerra está perdida para o nazifascismo. Mas para os inimigos dos povos pouco importam Hitler ou Mussolini. Tentaram sustentá-los enquanto foi possível. Hoje tentam sustentar apenas o espírito do fascismo, seus métodos de governo, seu terrorismo, seu ódio à cultura. Tentam ganhar a paz perturbando o esforço de guerra das Nações Unidas, provocando, criando confusão. Com métodos novos e com novos homens, novos militantes da quinta-coluna nazimuniquista. Aí está, para prová-lo, essa informação do governo polonês sobre a Rússia, informação aparentemente tão sem importância. É a quinta-coluna em ação!

AS FOGUEIRAS DE LIVROS
4/4/1944

SÁBADO À TARDE, EU OUVIA O EXCELENTE DISCURSO DE LUIZ VIANA FILHO, falando na qualidade de presidente do núcleo estadual da Associação Brasileira de Escritores, e pensava nas fogueiras de livros que o fascismo argentino levanta nas ruas de Buenos Aires. O *Times* de Londres ressaltava, no telegrama sobre o assunto, a identidade de métodos entre Perón e Goebbels. Para o argentino, como para o alemão, a cultura significa o inimigo. Livros devem ser queimados, escritores devem ser encarcerados, torturados, fuzilados. Assim o nazifascismo encara a cultura. Lá estou eu, entre os autores de livros queimados em Buenos Aires, na mais ilustre companhia que poderia desejar: o Deão de Canterbury, o embaixador Davies, os grandes escritores norte-americanos que se chamam Upton Sinclair, John Steinbeck e John dos Passos. Esses são os nomes citados pelo *Times*, juntamente com o meu, como de autores proibidos pelo sr. Hugo Wast, escriba nazista que orientou a polícia portenha na relação dos autores e livros considerados perniciosos, já que [de] democratas indiscutíveis. É claro que me sinto sumamente honrado pela companhia e por ter merecido dos fascistas argentinos tal consideração: a fogueira em praça pública. Nos países dominados pelos fascistas, voltamos sempre à Idade Média. O fascismo é inimigo do progresso e, da mesma maneira como os sábios eram queimados pelos medievais, são hoje os livros postos nas fogueiras pelos fascistas. Imagino que, em lugar dos livros, gostariam eles de ter os autores amarrados a postes, besuntados de breu como nos tempos de antigamente. Oitenta mil livros foram queimados em Buenos Aires, a mando do coronel Perón. Entre eles, segundo os telegramas, estavam livros meus. Passo a ser um autor de livros queimados internacionalmente e sinto-me vaidoso.

Em certa ocasião, há alguns anos passados, os integralistas ocuparam postos de mando nesta cidade da Bahia e em algumas outras do país. Aqui também se realizaram autos-de-fé. Ainda há poucos dias eu tive oportunidade de ler a ata da queima de livros na Bahia. Gilberto Freyre, Anísio Teixeira, José Lins do Rego e eu, eis os autores que mereceram dos integralistas a honra da fogueira para suas obras. Em Fortaleza fizeram coisa idêntica. Agora encontro-me em companhia de nomes mundialmente célebres nas fogueiras de Buenos Aires.

Enquanto isso, intelectuais sergipanos enviam bela mensagem de solidariedade a Gilberto Freyre, trincheira democrática no Recife. E Luiz Viana Filho, ao tomar posse da presidência do núcleo estadual da Associação Brasileira de Escritores, nos diz que a liberdade é bem essencial do homem de letras, que sem ela é impossível a criação artística. A Associação de Escritores não é nem sociedade de elogios mútuos nem clube de chás e torradas para literatos sem que fazer. É uma trincheira de luta contra o obscurantismo, contra a barbárie, contra fogueiras de livros. O autor da *Vida de Rui Barbosa* frisou muito bem essa qualidade da Associação Brasileira de Escritores. Uma trincheira.

Nessa guerra que vivemos e nessa paz que se aproxima, estamos duplamente interessados: como brasileiros e como escritores. A vitória militar do nazifascismo seria o fim da cultura. Mas a vitória política de elementos obscurantistas seria igualmente a perseguição às letras, a queima de livros, a prisão para os escritores. A liberdade de pensamento está colocada entre as quatro liberdades fundamentais pelo presidente Roosevelt. Para nós, escritores, ela é a mais preciosa. Compete-nos conquistá-la.

No mesmo momento em que as fogueiras de livros se erguem em Buenos Aires, os escritores baianos se congregam para a defesa da liberdade. O momento não é para tertúlias literárias. É, sim, para salvar os livros das fogueiras!

CONSIDERAÇÕES QUASE RELIGIOSAS
7/4/1944

É IMPOSSÍVEL NESTES DIAS SANTOS NÃO RELEMBRAR UM TRISTE ANIVERSÁRIO: o da invasão da Albânia pelas tropas do grotesco Mussolini. Foi numa Sexta-feira da Paixão. Enquanto os albaneses se dedicavam a seus deveres religiosos, o ex-Duce mandava suas legiões contra o seu pequeno e desprotegido país. O dia pareceu-lhe dos mais apropriados para uma surpresa fascista. Eis aí um dos homens que desejavam "fortalecer o espírito cristão"...

Quanto abuso não cometeram os fascistas usando o nome de Cristo! Nome de alguém que deu sua vida pela humanidade, de alguém que desejava uma existência melhor para a humanidade, os fascistas nos países católicos o utilizaram como bandeira para as maiores atrocidades. Se na Alemanha o nazismo se levantou contra a religião abertamente, encarcerando padres e destruindo igrejas, tentando substituir cristianismo pelo paganismo, nos países de maioria de população católica a sua técnica foi outra. Apresentou-se como o defensor do catolicismo, que os fascistas diziam ameaçado pelas forças do comunismo e do capitalismo. Na Itália, o invasor da Albânia numa Sexta-feira Santa não teve pejo de fazer abençoar suas tropas que se dirigiam aos assassinatos em massa na Abissínia. E houve padres (padres ou simples fascistas italianos de batina) que abençoaram os camisas-negras que iam trucidar os católicos abissínios, pobres negros incapacitados de uma defesa conveniente contra o gás de mostarda e as bombas da aviação fascista. É claro que esses padres não diziam a palavra da Igreja, como não a dizem aqueles que chamam Chico Franco, o carrasco da Espanha, de santo, de espada de Cristo. No dia de hoje o inquisidor Franco estará na cauda de uma procissão, cercado de tiras espanhóis, batendo no peito hipócrita. A representação comoverá uns quantos ingênuos. Mas não aqueles que tiveram irmãos, pais, noivos, esposos, filhos assassinados por este torpe representante da bestialidade fascista. Nada mais longe do espírito de Cristo que a filosofia política do inquisidor Francisco Franco ou do que a soturna beatice do sr. professor António de Oliveira Salazar, o que vende volfrâmio a Adolf Hitler.

Também aqui, nestas bandas da América, como na Argentina e nos demais países latino-americanos, o fascismo se apresentou revestido de máscara religiosa. Quem não se recorda dos gritos histéricos do escroque Plínio Salgado, dizendo que ia salvar Deus e a religião? Como se Deus necessitasse de um ladrão para salvá-lo, fosse de que fosse... Esse mesmo Plínio Tômbola que escreveu um livro sobre a *Vida de Jesus*, para melhor confundir a população católica e que fala sempre em entrar para um convento e nunca entra. Ai do convento em que professasse o chefe nacional da traição à pátria... Nunca mais os bons frades teriam sossego. Porque jamais lhes seria possível controlar as finanças do convento, o vinho, os mantimentos, a rouparia. O escroque Salgado, habitual do roubo, dedicaria seu tempo a pequenas diversões que empobreceriam o convento e enriqueceriam o fascista.

Eles são contra a religião. Tanto quanto são contra os que não têm religião. Porque colaram uma religião especial, um deus particular, e querem impor a todos essa religião e esse deus: a indignidade humana e qualquer sabidório que se veste de Führer, Duce, chefe ou caudilho. Qualquer católico, como qualquer agnóstico, só pode ter uma atitude perante o fascismo: a de combatê-lo com todas as armas. Só assim estará servindo à sua religião ou ao seu agnosticismo. Porque só fora do fascismo há liberdade de ser ou não ser religioso.

O PINTOR SCLIAR
9/4/1944

SCLIAR PARTIRÁ ENTRE OS SOLDADOS DO CORPO EXPEDICIONÁRIO E, POR ISSO, os intelectuais vão lhe oferecer um jantar em homenagem. Esse Carlos Scliar terá uns 23 anos e já é um dos grandes pintores brasileiros. Um dia, se continuar a levar a sua vocação tão a sério como até agora, será o maior. Menino imberbe, falador, gostando de discutir, de ler, de viajar, de se meter numa série de coisas que não lhe dizem respeito, curioso da vida e perdido nos livros, ele gosta antes de tudo de pintar. Certa vez moramos na mesma casa, era a minha casa e Scliar passava uns dias lá. Tivemos que sustentar uma grande luta porque não lhe bastava para a pintura a sala de estar. Invadiu com suas tintas, pincéis e telas o resto do apartamento. A banheira ficou colorida, o que me parecia absurdo... Mas Scliar pouco se preocupava com o que me parecesse absurdo. Ele queria era pintar e os quadros se amontoavam pela casa, enquanto a avareza do pintor (somente em relação aos quadros) impedia que desse algum fosse a quem fosse. Tenho uns, parece-me que roubados. Pessoa desprevenida que entrasse naquele tempo em minha casa era pessoa imediatamente transformada em modelo. Em torno de Scliar juntavam outros pintores jovens, entre os quais um cujo nome está hoje em pleno sucesso: Athos. Faziam um barulho danado, mas eram pessoas extremamente simpáticas. Discutiam muito, a arte era sua mais constante preocupação. Aqueles não eram tempos muito bons. Sob a proteção da quinta-coluna, desenvolvia-se no Brasil um conceito de arte pura, desinteressada, que ia envolvendo os jovens escritores e artistas. Mas já a guerra nascia de Munique e os rapazes de vinte anos — que escreviam e pintavam — começavam a compreender que o destino da arte é servir ao homem. As discussões se prolongavam noite adentro. Na sala os jovens faziam um barulho maior que o do Cassino da

Urca, que era ao lado do prédio. Aquelas discussões e aquelas conversas, aquela angústia que transparecia, o desejo de encontrar um caminho, foi o que me levou a escrever o *ABC de Castro Alves*. Eu era sempre espectador quase mudo das discussões dos jovens em torno a Scliar. Não me davam eles direito a me meter. Era homem de outra geração, mais velho, homem que chegava de um tempo de luta, de literatura misturada às coisas cotidianas. Por causa desses jovens escrevi a vida de Castro Alves. Queria trazer para as discussões terríveis o exemplo do maior artista do Brasil, também o maior lutador. Não sei se meu livro teve algum efeito. Sei que a guerra o teve e jogou toda essa geração em perigo de se perder dentro da luta e marcou para sempre a sua arte, que resistia aos chamados angustiosos dos homens sofredores.

Mas Scliar era uma exceção. Sua arte sempre teve um conteúdo social, sempre foi arma dos mais pobres e mais necessitados. Nem podia deixar de ser assim, já que esse brasileiro loiro do Rio Grande do Sul é filho de imigrantes chegados da Rússia num distante dia e que fizeram toda a escala do trabalho duro na terra adotiva. Trazia Scliar no sangue o desejo das reivindicações. Sua pintura é qualquer coisa de muito séria na nossa arte moderna. Ele está entre a meia dúzia de grandes pintores. Vai agora cumprir seu dever de brasileiro e de antifascista como soldado do corpo expedicionário. Vai também adquirir para sua arte, para seus quadros futuros, uma soma de experiência humana que o ajudará a se transformar rapidamente num dos nossos mais impressionantes artistas de todos os tempos. Assim me parece. O jovem discutidor vai lutar contra os nazistas com o rifle e a metralhadora. Isso ajudará a que seus quadros sejam no futuro armas ainda mais mortíferas contra a opressão. Armas da liberdade e da dignidade do homem.

O BARÃO
11/6/1944

QUINHENTAS PESSOAS, ENTRE EMBAIXADO-
RES, ESCRITORES, ARTISTAS, SÁBIOS, jornalistas, homens do povo, reuniram-se ontem num grande banquete em torno de Apparício Torelly, que comemorava seus 25 anos de vida de imprensa.
Apparício Torelly é um nome quase desconhecido. Muita gente
talvez nem o conheça ou, se o ouvir, tenha que fazer um esforço
de memória para ligá-lo ao personagem que o celebrizou. Pois
Apparício Torelly é Apporelly, e a este todos conhecem. O diretor
de *A Manha*, o maior quinta-ferino do mundo. É o Barão de Itararé, ex-Itararé, Primeiro, o Branco, Imperador das URSSAS.
Quem não o conhece no Brasil, quem não se orgulha de ser patrício dessa figura ímpar da nobreza mundial? Aí está um dos grandes homens deste país e um dos maiores humoristas de todos os
tempos. Apporelly se situa entre os nossos mais importantes escritores e sua obra colocou-se definitivamente entre aquelas poucas que retratam e definem um país.

Não há muito um escritor, votando no concurso de *Diretrizes*
que pretende escolher os quinze livros mais expressivos para o
conhecimento do Brasil, colocou a coleção de *A Manha* entre essas quinze obras. Nela o leitor encontraria, envolta em sorrisos
irônicos, uma visão real destes 25 anos de vida nacional. Vistos
sob o ângulo muito particular do Barão de Itararé, cavalheiro de
seguros olhos e que, por via das dúvidas, usa óculos. Nenhum
acontecimento político, artístico, cultural, esportivo ou financei-
ro deixou de ser comentado, com a mais fina graça e o mais elevado bom senso, pelo Barão que é, sem dúvida, o mais vivo de quantos personagens criaram os intelectuais brasileiros. O Barão de
Itararé é, de certa maneira, o nosso dom Quixote de la Mancha.

Uma prova? Nos tempos esverdeados da censura prévia para a
imprensa, cabia a cada jornal diário um censor, e um censor a cada

grupo de quatro ou cinco semanários. Pois bem: *A Manha*, sema-nário de data incerta de saída, tinha dois censores somente para ela. E muitas vezes eu encontrei Apporelly refazendo seu jornal na oficina, duas e três vezes, porque os censores, que nem sempre primavam pela inteligência, cortavam em média 90% da matéria original.

Na luta contra o fascismo, o Barão de Itararé foi dos primei-ros e dos mais decididos. Apesar de que o integralismo tudo fez para trazer tão triste varão para as suas fileiras, o Barão sempre foi um corajoso antifascista. Ninguém ridicularizou melhor o fascismo e sua máscara nacional que Apporelly, no seu jornal e nas suas colaborações para os diários. Pagou bem caro, naqueles tempos, esta coragem. Vegetou pelas prisões quando ser antifas-cista era arriscado, não à moda de agora. Seus depoimentos fica-ram célebres e também as crônicas diárias que continuou a es-crever, mesmo preso, levando com elas aos seus companheiros de "pensão" um sorriso alegre que iluminava de graça o triste ambiente. Hoje, quando as forças democráticas se lançam à ar-rancada final contra o fascismo, o Barão é festejado pelos seus 25 anos de jornalismo. Fecunda atividade de alguém que é um grande escritor e um grande brasileiro. Um dos grandes brasi-leiros do seu tempo e um dos mais capazes combatentes antifas-cistas de toda a América. Sua arma é o riso, uma terrível arma. Posta a serviço do Brasil, do povo e da humanidade.

OS POVOS COMBATERÃO
13/6/1944

AS TROPAS ALIADAS MOVIMENTAM-SE A LES-
TE E A OESTE. NA FRENTE RUSSA começa a nova ofensiva soviética no setor de Leningrado, mas se estenderá por toda a frente!
Na França os anglo-americanos ganham as primeiras batalhas da
segunda frente. Os nazifascistas estão agora entre dois fogos e o
último ato da guerra na Europa já se iniciou.

Estão presentes na cena vastíssima quase todos os atores. Os
exércitos aliados, os soldados nazistas, generais de nomes sonoros
e gloriosos, barcos de guerra, milhares de aviões. A cooperação
militar entre as Nações Unidas é completa. Aviões norte-americanos partem de aeródromos soviéticos para os bombardeios
mais violentos. Uma ação de conjunto mostra até onde vai a unidade entre os grandes países empenhados na eliminação do nazismo e de seus sucedâneos.

Apenas um ator ainda não fez a sua entrada completa em cena.
Ainda está agindo pelos bastidores, ainda não disse todo o seu papel, sem dúvida o mais importante de todo esse último ato da tragédia que Hitler desencadeou. Falo do povo na Europa. É verdade que já nos Bálcãs, especialmente na Iugoslávia, ele decide dos
acontecimentos. Também na Itália já o povo marcou a sorte de
Badoglio, depois de haver selado o destino de Vítor Emanuel.
Nos demais países, como num ensaio geral, o povo sabota, faz
saltar trens, espera na calada da noite os opressores nazistas. Mas
a revolta geral dos povos europeus oprimidos é esperada a qualquer momento e ela não pode tardar. A abertura da segunda frente abre para todos os povos subjugados um caminho novo. O levante é fatal e virá abrir possibilidades para o avanço dos exércitos
da liberdade. A frente interna européia, sobre a qual a bota nazista
se assentou, é um tumor prestes a arrebentar. Nem um único homem nesses países subjugados tomará das armas para combater

contra os anglo-americanos. Eles esperam, no silêncio das conspirações, o momento exato para combater ao lado dos aliados, arrastando a frente interna nazista à maior confusão. Os povos combaterão. A libertação da França, da Bélgica, da Noruega, da Holanda, da Tchecoslováquia, dos demais países, não será trabalho apenas dos exércitos aliados. Os povos repetirão o gesto iugoslavo de Tito. Os marechais do povo vão surgir. Guerrilheiros e sabotadores, líderes populares e organizações que se mantiveram até agora subterraneamente. A grande revolta dos povos da Europa contra a dominação nazista está por instantes. A segunda frente foi o sinal há muito esperado.

Os povos combaterão porque esta é a guerra dos povos contra a tirania fascista, é a guerra democrática e libertadora. Em todos os países da Europa ocupada os povos se levantarão e decidirão a sorte da guerra. Em todos os países da Europa subjugada pelo nazifascismo. Inclusive na Espanha e em Portugal. Inclusive!

VOZ DA CULTURA
14/6/1944

TOMEI PARTE, COMO VICE-PRESIDENTE DO NÚCLEO BAIANO DA Associação Brasileira de Escritores [ABDE], nos trabalhos preparatórios, no Rio de Janeiro, da organização do Primeiro Congresso de Escritores Brasileiros, promovido por aquela sociedade de classe. Pode a Bahia orgulhar-se de haver partido daqui a idéia da reunião deste congresso que, tudo indica, será importantíssimo. Foram os escritores baianos, através um discurso de Luiz Viana Filho, presidente aqui da ABDE, os lançadores do congresso, acolhido com entusiasmo pelos escritores do Rio, de São Paulo e do Rio Grande do Sul. Já uma série de entrevistas foi concedida no Rio, por diversos escritores, sobre o congresso. E ainda ontem Osório Borba escrevia longo artigo sobre ele. Em resumo: em setembro, em Petrópolis, os escritores brasileiros, sem distinção de tendências religiosas e políticas, reunir-se-ão democraticamente para discutir seus problemas. Os de ordem profissional, que estão a exigir debates sérios, e os que se referem à dignidade e liberdade da profissão.

Eis uma profissão nova no Brasil. Machado de Assis vendia os direitos autorais definitivos de um livro seu por quinhentos mil-réis. Com isso enriqueceram os franceses da Garnier e enriquecem ainda hoje os americanos da Jackson. Machado de Assis morreu pobre, viveu sempre do seu magro salário de funcionário público de segunda categoria e jamais considerou a literatura uma profissão possível como meio de vida. Hoje somos vários os que vivemos daquilo que escrevemos. Vida modesta, é bem verdade, mas já é alguma coisa que se possa viver do que se escreve, sem necessidade de recorrer a empregos públicos, a "bicos", às cartas de advogado ou médico. Já existe no Brasil a profissão de escritor. De que vivem um Gilberto Freyre e um Erico Verissimo, para citar só dois exemplos, senão da sua produção literária?

Eu não vivo de outro trabalho e se tenho algo de que me orgulhar na minha carreira é não ter querido nunca ser outra coisa senão um escritor. Da existência dessa nova profissão decorrem uns quantos problemas. O dos direitos autorais de livros sobre os quais nos pagam minguados 10%. Creio que este problema encontrará solução no congresso. Assim como o do pagamento de direitos de artigos e de transcrições de artigos, feitas quase sempre à revelia do autor e de graça. Também a fixação de uma tabela definitiva para o pagamento de traduções, com o que se conseguirá não só melhorar a situação dos escritores que traduzem como melhorar a qualidade das traduções que certas editoras ainda entregam a incapazes para pagar menos.

Não se contentarão os escritores, porém, com o debate destes problemas profissionais. Também a sua posição perante o fascismo ficará claramente definida no congresso. Dele deve resultar a sólida unidade dos escritores brasileiros, acima de quaisquer divergências estéticas, ideológicas e religiosas, pela democracia, contra a bestialidade e o obscurantismo nazifascista. Como deve ser discutido o problema da ação imediata do escritor, como tal, ante a guerra, a ajuda a prestar para a vitória do Brasil e das Nações Unidas. E, finalmente, os escritores devem marcar sua posição contra qualquer tentativa de censura para livros. Posição essa que é mais que conhecida. A libertação do livro de Ivan Pedro de Martins, realizada não há muito, é uma vitória dos escritores contra os Ângelos Guido fascistas que ainda sonham com fogueiras inquisitoriais. A literatura e a arte, a ciência e a cultura, necessitam de liberdade para que possam florescer. Por isso mesmo é que os escritores do mundo inteiro estão a postos contra o fascismo.

O ROMANCISTA EHRENBURG
16/6/1944

NÃO VOLTAREI A ESCREVER SOBRE *A QUEDA DE PARIS*. QUANDO ESTE ROMANCE DE Ilya Ehrenburg apareceu em espanhol, há mais de um ano, tratei dele nestas mesmas colunas, dizendo da sua força de criação e do panorama que ele nos traça de toda a França de antes da guerra, do seu momento inicial, quando os nazifascistas atiraram Franco na direção de Madri. Agora, o livro do escritor soviético aparece em português, numa tradução de Monteiro Lobato (Coleção Guerra e Paz, Editora Nacional, São Paulo, 1944), um grosso volume que encerra as três partes do romance. Em espanhol fora publicada apenas a primeira parte, que retrata a França da Frente Popular* e na qual repercutem as angústias do drama espanhol. Na edição brasileira o livro completo nos traz, com a mesma intensa força, até a queda de Paris. Não vou repetir o que já escrevi sobre este admirável romance. Vou apenas, mais uma vez, recomendá-lo insistentemente aos meus leitores. Quando escrevi sobre ele não se encontrava o volume nas vitrines das nossas livrarias. Agora, qualquer leitor pode ter uma visão completa e perfeita dos motivos da debacle da França gloriosa quando os nazistas marcham sobre Paris. Hoje, são as tropas libertadoras que marcham sobre a capital do mundo para limpá-la da presença abjeta dos hitleristas. E esse é um esplêndido momento para aprendermos, no livro de Ehrenburg, os segredos da entrega da França pelos Daladiers e pelos Weygands, pelos Pétains e pelos Lavals. Não é uma reportagem.

---

* As frentes populares eram alianças entre partidos e organizações de trabalhadores e representantes da burguesia progressista, que permitiam aos comunistas participar em governos de países ocidentais antes da revolução. Em fevereiro de 1936 formou-se na Espanha uma coalizão dessa natureza, opondo-se à Igreja católica e à monarquia, que venceu as eleições. Uma junta militar apoiada pela Igreja tomou o poder, dando início à Guerra Civil Espanhola. Na França, também em 1936, foi eleita uma frente similar, marcada pelo pacifismo do seu líder, Léon Blum. Em virtude de divergências em relação à Guerra Civil Espanhola, o Front Populaire se autodissolveu em 1938.

É um romance que, já agora, se coloca entre os imortais de toda a literatura, é o *Guerra e paz* da nossa época. Mas há nele, também, a grande reportagem, porque, dentro da criação artística, Ehrenburg mostra a realidade política e econômica da pátria francesa, a traição e também as forças vivas da nação, aquelas que não se renderam e foram a semente do movimento subterrâneo de reação ao invasor. A guerra atual não produziu, ainda, livro mais admirável que este, de leitura mais necessária. Eis por que volto a falar nele para recomendá-lo aos leitores destas colunas.

Coube-lhe o prêmio Stálin de literatura para 1942, o que é o maior título que pode ostentar um livro soviético. E não há muitos dias o seu autor, esse extraordinário e imprevisto Ehrenburg, foi condecorado com a Ordem de Lênin, a mais importante condecoração da União Soviética. Porque este romancista, que já atravessou a casa dos cinqüenta anos, que satirizou num livro admirável — *As aventuras de Julio Jurenito* — a guerra interimperialista de 1914, desta vez, na guerra dos povos contra a barbárie fascista, se transformou no mais admirável correspondente que escreve das frentes de batalha. Seus inúmeros artigos, divulgados no mundo inteiro, são o retrato melhor da epopéia do povo soviético, repelindo o invasor. Prêmio Stálin e Ordem de Lênin, Ehrenburg simboliza o intelectual numa posição justa ante a guerra, o intelectual colocando sua pena a serviço da liberdade e dos povos contra o obscurantismo e o escravagismo fascista. O intelectual cumprindo o seu dever, servindo ao povo, dignificando a função da literatura. Agora mesmo, leio seu último e impressionante artigo publicado no Brasil: "Também ganharemos a paz". O autor de *A queda de Paris* escreve sobre o futuro:

> Quando contemplo uma criança, um pequeno broto ou um pequeno pedaço de terra plantada, me pergunto: será que nós, que atravessamos duas terríveis guerras e aprendemos a conhecer a completa desumanidade do fascismo, não salvaremos os nossos filhos de nenhum destino semelhante?

FASCISTAS EM AÇÃO
18/6/1944

ANTE A INDIGNAÇÃO DE TODA A CULTURA NACIONAL, OS FASCISTAS PENETRARAM na sala em que se realiza a primeira exposição de pintura moderna de Belo Horizonte e retalharam a gilete oito quadros, entre os mais significativos dos expostos. A exposição de Belo Horizonte é uma realização oficial da prefeitura municipal, a cuja frente se encontra um homem de bom gosto e de visão.* Estive presente à inauguração dessa magnífica mostra de arte, convidado juntamente com outros escritores e artistas. O prefeito pronunciou então um excelente discurso, onde mostrou que sem liberdade é impossível o florescimento da arte. Um discurso no qual o nazifascismo era condenado como fator de atraso para a humanidade, como desejoso de enterrar o mundo numa noite de incultura, numa nova Idade Média bárbara e obscurantista. Corajoso discurso que impressionou profundamente a todos que o ouviram. O prefeito de Belo Horizonte não era um dos costumeiros burocratas que pouco estão ligando às obrigações do cargo. Trazendo para sua cidade uma exposição de pintura moderna, talvez a mais completa e importante já realizada no país, ele pretendia mostrar aos seus concidadãos alguma coisa realmente bela, livre e democrática.

A exposição estava realmente magnífica. Ali se encontravam os maiores pintores brasileiros, desde Segall e Portinari, até aos mais jovens, Athos e Deane. A enorme sala do Edifício Mariana, no dia da inauguração, literalmente cheia, era um soberbo espetáculo. Guignard, atualmente professor de pintura da Escola de Belas-Artes de Belo Horizonte, sob cuja direção se fez a mostra, andava radiante entre os grupos. O prefeito parou comigo em frente ao grande quadro de Pancetti, uma das suas melhores ma-

* De 1940 a 1945 Juscelino Kubitschek foi prefeito de Belo Horizonte.

rinhas. Falamos do pintor, da sua vida difícil. E o quadro foi adquirido pela prefeitura. Entre as montanhas de Minas brilhará o mar carioca de Pancetti, o marinheiro que se tornou um dos maiores pintores da América.

Depois, numa noite covarde, por uma porta insuspeita, os fascistas entraram na exposição e, a gilete (arma que lhes fica muito bem), arruinaram oito telas. Os telegramas do sul nos dão conta da indignação dos escritores e artistas. Os fascistas odeiam a humanidade e, por isso mesmo, odeiam a arte que é libertação do homem, que é esforço de criação, que é dignidade, que é beleza. Quem não se recorda da sórdida campanha que os integralistas, com ou sem camisa, moveram contra Lasar Segall quando da sua exposição no ano passado? Os fascistas de Belo Horizonte empunharam suas giletes e, impotentes contra os soldados anglo-americanos da segunda frente e contra os soldados soviéticos da frente leste, se atiraram contra os quadros, tentando destruir a beleza criada pelos homens. Os fascistas em ação.

Os fascistas organizados em ação. Ainda ontem, na sua "Nota Carioca", tão corajoso sempre, Vítor do Espírito Santo denunciava ao povo a existência organizada dos integralistas. Diariamente lá estão os chefes numa mesa da Confeitaria Colombo, no Rio de Janeiro, ouvindo as ordens de Raimundo Padilha, o sub-Führer indígena, o substituto de Plínio, o Rato. Dali partem as ordens para os ataques aos quadros modernos e quem sabe que outras ordens para a traição à pátria, a sabotagem ao esforço de guerra, o divisionismo, a venda e a entrega do Brasil aos banqueiros de Berlim.

Os fascistas estão agindo. Hoje, contra a arte: amanhã, contra a segurança da pátria. Só a vigilância do povo, constante e ativa, pode sustar o perigo que continua a existir. A peste verde ainda não foi totalmente liquidada.

BOLÍVIA
28/6/1944

A MAIORIA DOS PAÍSES AMERICANOS VEM DE RECONHECER O GOVERNO DA BOLÍVIA, implantado no ano passado com um golpe de Estado contra o ex-presidente Peñaranda. O motivo central desse reconhecimento, que afasta do governo Villarroel as acusações de fascista e simpatizante do Eixo, parece ser as eleições que se realizarão dentro de poucos dias. A volta da Bolívia a um regime legal, com um governo escolhido pelo povo. Foi impossível aos atuais detentores do poder manter-se nele, em vista da recusa do continente a aceitá-los como governo legítimo.

O presidente Peñaranda não era, evidentemente, nenhum santo. Muito longe disso. Sua democracia quase só tinha de democracia o nome. Realizando uma política exterior de apoio às Nações Unidas, dizendo discursos de belas frases sobre a liberdade, xingando o nazismo e o fascismo com calor, Peñaranda ia tapeando o mundo, enquanto fazia na Bolívia o que bem queria e entendia. Morínigo, no Paraguai, não usa outro método. Existem, no país vizinho, determinadas coisas que fariam inveja a Himmler. Os campos de concentração paraguaios, ao que dizem, são perfeitos, nada ficam a dever aos alemães. Liberdade é uma palavra de muito gasto nos discursos para o exterior do presidente Morínigo, e a mais absoluta ficção na vida interna do país. Ser antifascista (de verdade) no Paraguai é colocar-se imediatamente na imensa lista de suspeitos, é candidatar-se às mais desagradáveis aventuras. Liberdade de palavra não existe. Nem de reunião, nem de nada. Assim era também na Bolívia de Peñaranda, se bem mais tapeado um pouquinho.

Eis por que o povo boliviano não chorou a queda do seu último presidente. Não lhe merecia ele nenhuma simpatia. E se os jovens governantes que subiram com o golpe pareciam inclinados a uma política ainda mais decididamente fascista, nem por isso lágrimas ardentes acompanharam o enterro político de Peñaranda. No poder, Villarroel viu-se a braços com os problemas de política externa e de política interna. Não foi reconhecido pelos países do continente e não conseguiu o apoio das correntes mais fortes da Bolívia. Teve então de fazer concessões. Soltou presos democratas, melhorou as condições de vida dos operários nas minas e, por fim, marcou data para as eleições.

Veio, agora, o reconhecimento. Resta-nos esperar que as eleições corram com lisura, que Villarroel não empregue, para conservar o poder, os métodos de Peñaranda. Em matéria de eleições o governo de Batista, em Cuba, vem de dar à América um notável exemplo. Eleições absolutamente livres.

Ao que parece o golpe fascista fracassou na Bolívia. Mas não devemos levar ao extremo o nosso otimismo. Porque, por ora, ele ainda não fracassou na Argentina, onde se mantém no poder violentamente, com o governo Farrell. Governo, ainda ninguém compreendeu bem por quê, reconhecido pela maioria dos países americanos.

RAZÕES DA CONFERÊNCIA VERDE
29/6/1944

VEJAMOS ALGUNS FATOS: ANTES MESMO DE VENDER VOLFRÂMIO À ALEMANHA, PORTUGAL já se gabava da sua polícia política. Igual não havia no continente europeu, antes da instalação da Gestapo. Era um primor. Alguém disse certa vez que, em Portugal, quem não era oposicionista ao governo era polícia. O fascismo português é dos mais antigos no poder, o mais antigo depois do italiano. E revestiu-se de algumas fórmulas especiais, decorrentes da educação jesuítica do sr. Salazar. É um fascismo beato que inspiraria posteriormente o sr. Francisco Franco e outros assassinos espanhóis.

O sr. Salazar anda alarmado com os últimos acontecimentos e não há como negar-lhe razão. Ele apostou no triunfo do Eixo. A neutralidade portuguesa — apesar da concessão dos Açores e do acordo sobre o volfrâmio* — sempre foi simpática ao nazifascismo. Salazar esperava ver as democracias esmagadas rapidamente. Gozou a derrota da França e reconheceu o governo de Pétain, o pústula. Gozou a invasão dos vários países europeus e felicitou os *quislings*, seus parceiros. Delirou com a invasão da União Soviética, esperando que Moscou caísse em duas semanas. No mínimo, comprou champanha. Mas, ah!, as coisas mudaram, os exércitos russos estão a caminho de Berlim, os norte-americanos tomam Cherbourg, a Itália já é um país sob regime democrático. Más notícias para o sr. Oliveira Salazar, apesar de *A Voz*, órgão semi-oficial, dizer que nada disso tem importância, que as legiões "civilizadoras" de Hitler aniquilarão os "bárbaros

---

* Em agosto de 1943, Portugal assinou um acordo permitindo ao Reino Unido a realização de operações militares a partir dos Açores; no ano seguinte, autorizou também instalações militares norte-americanas. Em 1944, Portugal — que até então negociava com os dois lados — concordou, sob pressão dos aliados, em parar de exportar volfrâmio para a Alemanha nazista.

bolchevistas" e os "bárbaros capitalistas". Porém Salazar já não acredita na propaganda do modernista António Ferro.

Outro dia, o sr. Salazar fez um discurso dos mais divertidos. Disse que a vitória dos aliados, se acontecesse (ele ainda duvida), não liquidaria os regimes totalitários. Que ele estava garantido. O pior é que ninguém acreditou e uma grande greve foi desencadeada na pátria portuguesa pelos operários esfomeados, que foram massacrados num campo de touradas. A esposa de um escritor foi presa porque o marido, procurado pela polícia, não foi encontrado. Era acusado de ser um dos chefes da greve e, para muita honra minha, até meu nome surgiu nos telegramas espalhados pelos "tiras" lusos: o referido escritor seria um romancista influenciado pelos meus livros. Tudo isso deu mais dor de cabeça ao sr. Salazar.

Então ele teve uma idéia genial: anunciou que o mundo do futuro seria dirigido não pelas Nações Unidas, mas por um bloco formado pelos Estados Unidos, pela Europa Ocidental (entenda-se Pétain e Franco), por Portugal e pelo Brasil. Acontece, porém, que a Europa Ocidental está tomando um aspecto inesperado para Salazar: Tito, De Gaulle, Bonomi (com Togliatti no gabinete), Benes, Wanda Wasilewska. E o Brasil não está aceitando o neofascismo franco-salazarista. Tampouco os Estados Unidos parecem dispostos a este conúbio com o fascismo português.

Resultado: o rato Plínio Salgado faz uma conferência em Portugal, prestigiado pelo governo. Salazar, desiludido, imagina, talvez, impor-nos o governo do chefe nacional integralista. A idéia é divertida, não há dúvida, e muito digna do cérebro do professor de economia feudal. E diz muito bem do extremo a que chegou o fascismo português: a amparar-se em Plínio Tômbola... Neste momento as finanças portuguesas, orgulho besta de Salazar, já devem ter sofrido um baque sério... Plínio, como político, pode ser imbecil, mas, como ladrão...

REVOLTA NA DINAMARCA
4/7/1944

OS ACONTECIMENTOS DA DINAMARCA, QUE TRAZEM PARA AS MANCHETES dos jornais o pequeno reino nórdico, caracterizam perfeitamente o momento europeu. Começa a desaparecer, ante a invasão da França pelos anglo-americanos e as constantes vitórias russas no leste, o respeito às forças germânicas, respeito que fora imposto pelo pavor aos povos oprimidos. As execuções em massa, os campos de concentração, a técnica de torturas, o requinte de barbarismo, tudo o que o nazismo trouxe no seu cortejo para atemorizar as populações dos países entregues pela quinta-coluna já não impede que os povos se levantem.

Aliás em nenhum momento foi tranqüila a vida dos opressores em qualquer dos países europeus. Apesar de todas as infâmias praticadas pelos fascistas, os povos mantiveram-se em latente estado de revolta e nem um único dos países europeus foi "conquistado" no sentido mais lato da palavra, já que os povos jamais se renderam. Não é necessário sequer citar o exemplo da França, onde os patriotas fizeram das cidades perigosos lugares para as nazistas e em cujas montanhas começaram a luta armada pela libertação, apoiando De Gaulle. E a Iugoslávia com o exército de Tito? E a Grécia com seus guerrilheiros? E a Noruega, onde estudantes, operários e padres tiveram atitudes de exemplar nobreza? E a Tchecoslováquia, com sua inesquecível Lídice? E a Holanda das grandes sabotagens?

Também a Dinamarca jamais aceitou resignada a ocupação alemã. As notícias que agora atingem seu clímax mais alto não faltavam de vez em quando nos jornais: atritos nos cafés, lutas nas ruas entre grupos de patriotas e oficiais alemães, desfiles populares onde os hinos das Nações Unidas eram cantados pela massa que arriscava, com este gesto, a vida. A Dinamarca esteve sempre pronta para a luta, jamais se rendeu, jamais se dobrou, jamais aceitou a opressão nazifascista.

E agora seu povo se levanta numa verdadeira revolta, em greves, manifestações, lutas. "Há alguma coisa de podre na Dinamarca." Porém desta vez a podridão veio de fora, das terras alemãs, com as camisas pardas e as saudações a Hitler. E o povo dinamarquês está limpando sua pátria dessa podridão.

Os acontecimentos narrados pelos telegramas podem nos dar uma idéia do que será a Europa muito em breve, quando for mais profunda a penetração dos exércitos aliados da segunda frente, quando as forças soviéticas tiverem atingido as fronteiras alemãs. Ao mesmo tempo que rui o poderio germânico nas frentes de batalha, se levanta, vigoroso e decidido, o movimento dos patriotas em toda a Europa. O importante é que os aliados tenham bastante tato político para saber aproveitar esses movimentos, deixando claro, desde logo, que quem vai dirigir os destinos de cada nação européia é o povo desta nação. Deixando claro que os exércitos aliados são de libertação, não pretendem de maneira nenhuma o domínio dos países invadidos. Tampouco impor governos ou impedir o cumprimento da Carta do Atlântico. Assim os movimentos populares sincronizarão com as grandes manobras militares dos exércitos aliados. E a libertação da Europa será feita num prazo muito mais rápido.

FRANÇA
15/7/1944

HOUVE UM 14 DE JULHO CHEIO DE ESPERAN-ÇAS, ANTES DA GUERRA. O povo francês carregava retratos de grandes escritores europeus em meio a ovações aos líderes antifascistas. Os traidores trabalhavam, no entanto: corria o dinheiro de Berlim e de Roma na imprensa que forjava notícias e escondia fatos. As vitórias russas sobre os japoneses eram sabotadas nos jornais direitistas de Paris. E Pierre Cot sofria uma formidável campanha porque queria mandar aviões para a Espanha leal, porque via na guerra espanhola o começo da invasão nazifascista. Sobre a Mancha, Chamberlain, caixeiro da paz sem honra, e Daladier, ambiciosos, sem caráter, concluíam os planos de entrega da Europa.

A guerra foi uma farsa contra o povo. O epílogo era velho mas ainda serviu: um dia os ministros trêmulos se reuniram e a venda da pátria já estava resolvida. Mas ainda alguns duvidavam quando os traidores do grande exército francês agitaram o espetro do comunismo, forjado em Berlim. "Uma revolução comunista em Paris", declararam. E Pétain pôde, desde então, aparecer como o símbolo mais completo da degradação, como o mais velho e imundo crápula do nosso tempo.

Naqueles tempos, o então coronel De Gaulle era visto com maus olhos, porque pregava a motorização do exército. Gamelin e Weygand, os vendidos, não queriam ouvir falar em tais coisas. Preferiam fazer discursos sobre o perigo bolchevista. E namoravam Hitler, como mocinhas em busca de casamento. Pensavam que o grande dote estava nas mãos do Führer, que carregava a espada prussiana. As quarenta famílias tremiam pelos seus milhões ante o povo disposto ao combate contra o fascismo.

Vi brasileiros, muitos brasileiros, de olhos marejados de lágrimas no dia em que Paris caiu. Caiu? Não. Foi miseravelmente entregue por aqueles que antes se apresentavam como os salvadores da pátria. O povo continuou o combate.

De Gaulle disse a verdade quando afirmou que apenas uma batalha estava perdida, e que a guerra continuava. Por isso o povo o seguiu. Os espetros levantados pelo fascismo sumiram-se no ar, ante a pavorosa realidade que escondiam. Sob a ameaça do perigo comunista estava o jogo torpe da quinta-coluna. Foi assim que eles venderam a França.

Mas hoje só resta uma perspectiva para os Pétains e os Lavals. Triste perspectiva. Tombam diariamente os traidores, sob a vingança do povo. Já não é terrorismo. É a justiça popular que se cumpre. Não há cargo menos desejado no mundo, nos dias de hoje, que o de ministro do governo de Vichy. A nomeação equivale a uma sentença de morte ditada pelo povo francês. Dois ministros da Propaganda já foram executados. Muitos outros esperam ainda que seja cumprida a sentença lavrada pela França. Mas seu dia está próximo.

Troam os canhões aliados na Normandia. Na Itália também. Começa a batalha da Prússia, com vitórias magníficas do exército soviético. De Gaulle é reconhecido como chefe do governo francês. Novamente o 14 de Julho é cheio de esperança. Mais que esperança: certeza de que o dia da liberdade está raiando e que a democracia francesa novamente se afirmará, agora sem os traidores que agitavam espetros para cobrir sua sórdida face de vendilhões da pátria!

A SURPREENDENTE GEOGRAFIA
18/7/1944

O HOMEM NO BONDE, APERTADO NO BANCO SUPERLOTADO, OUVIU A informação que o outro lhe gritava. O amigo ia melhor sentado, no banco da frente, e conseguia ler o jornal vespertino, incomodando as outras sete pessoas que viajavam no mesmo banco. Mas os tempos são de guerra e temos que reconhecer que é um ótimo pretexto para o péssimo serviço de bondes. O povo está levando a coisa com bom humor. Troca piadas com os condutores e discute as notícias de guerra alegremente.

O que ouviu a informação que o outro conseguira ler no vespertino não pôde deixar de pedir, em altas vozes, confirmação da notícia, que seria espantosa se o ritmo do avanço soviético não houvesse riscado essa palavra do dicionário da guerra.

— Quantos quilômetros?

— Trinta — gritou o outro, e todo o bonde ouviu...

— Chegarão até terça-feira da próxima semana... — disse com convicção o primeiro.

O outro dobrou o jornal na cara dos vizinhos e riu:

— Terça? Eles tão lá é no domingo... Se muito...

— Eta russos danados... — comentou um preto que ia no estribo, num milagre de equilíbrio. — Quem houvera de dizer...

— Quem diria... — falou um velho.

E a conversa de guerra generalizou-se. Mas era alegre e sentiu-se no bonde desconfortável e lento que uma satisfação e certo inescondível entusiasmo impedia que os passageiros assassinassem o condutor, o motorneiro e a multidão incalculável dos fiscais, que pareciam dispostos a nos fazer perder o horário do trem suburbano. A discussão generalizou-se, como disse, e creio poder afirmar, sem exagero, que quase todos os passageiros tomaram parte nela e os demais a ouviram com interesse. Mesmo o casal mulato de namorados, que ia num idílio apertado num banco dos fundos, suspendeu sua lírica entrevista para atender ao assunto de guerra, que extralimitara do leitor do jornal e do seu amigo para a pequena multidão que sofria a falta de freios do bonde da Cidade Baixa. Posso afirmar também que foi uma discussão sumamente educativa, pois tratava da relatividade da geografia e das surpresas que ela nos apresentara nestes últimos anos.

Faz três anos que Hitler declarou que, das fronteiras polonesas a Moscou, era um passeio divertido de algumas semanas para as tropas invictas do nazismo. Naquele tempo sabia-se, com certeza, que os canhões e os tanques soviéticos eram de papelão e que os aviões eram de madeira vagabunda. Sabia-se também que os soldados russos viviam mortos de fome e que a população, operários, camponeses, escritores, técnicos, sábios e artistas, odiava o governo e apenas esperava um sinal para contra ele levantar-se. A geografia, física e política, amplamente divulgada, da União Soviética era essa. A da Alemanha nazista falava num exército invencível e num país de homens perfeitos, governados por um deus de bigodes à Carlitos. País tão longe que jamais nenhum exército do mundo o alcançaria, por mais bem armado, por mais valente e melhor comandado.

Três anos depois a geografia surpreende os homens, pois não é Moscou que está próximo à fronteira polonesa e, sim, Berlim. As tropas russas, que no dia da discussão no bonde estavam a trinta quilômetros da Prússia, iniciam a batalha da Alemanha. Os canhões e os tanques são mesmo de ferro e aço, os aviões são de verdade e os aviadores são uns heróis. E espanto sobre todos espantoso — o povo está unido em torno ao seu governo, estreitamente unido.

No fim da discussão — quando o bonde nos deixou na estação com um minuto para pegar o trem, recordei a amargura com que Monteiro Lobato se referiu, numa entrevista, à chantagem de que ele, e muita gente, a maioria da gente, fora vítima em relação à União Soviética. A quinta-coluna criou uma geografia para servir aos seus infames planos. Mas a guerra a destruiu e, agora, é muito mais difícil enganar, seja a um grande escritor ou seja a um pobre passageiro de um bonde sem freios, na Cidade Baixa. Os exércitos russos estão na Prússia nazista!

UM QUADRO DE SEGALL
19/7/1944

ÉRAMOS VÁRIOS NA SALA MAIOR DO ATE-
LIER DE LASAR SEGALL. Ele voltou a tela imensa para nós. E a
guerra surgiu à nossa frente em todo o seu horror. Nunca a senti
tão cruamente, nem na leitura dos mais renomados correspondentes, nem no cinema, onde assistimos os jornais do front, nem
mesmo nos discursos dos líderes. Ali, no quadro do grande pintor
paulista, a guerra não era descrição ou fotografia de coisa passada,
de instantes já vividos, de fatos superados. Ali ela estava presente
nos olhos dos mortos, nos pés dos que se equilibravam sobre cadáveres, na angústia dos rostos deformados, nas cores que o artista conseguira. Talvez em nenhum momento o meu ódio ao nazifascismo tenha se elevado tanto como quando contemplei o
quadro de Segall. E só então compreendi a razão da campanha
sórdida da quinta-coluna contra este mestre da pintura e este ini-
gualável criador de beleza, quando da sua última exposição no
Rio de Janeiro. A quinta-coluna se lançou contra ele com uma ferocidade inaudita. Não foi apenas o atentado a gilete contra os
quadros, como fizeram na exposição de arte moderna de Belo
Horizonte. Não. Contra Segall eles ergueram todas as trincheiras
e usaram todas as armas. Colunas e colunas de jornais se encheram de acusações ao pintor extraordinário, ao maior artista brasileiro, àquele que se voltou sem medo para a realidade do seu tempo. A multidão desfilava pelas salas onde estavam os quadros e se
emocionava ante o *Pogrom* e o *Navio de emigrantes*, ficava muda e
quieta ante esta representação espantosa da *Guerra*. Esses quadros explicavam a campanha contra Segall. Não está ele, timida-
mente, pintando flores e naturezas-mortas nesta hora de angústias do mundo. Sua pintura é combate, é luta, é democracia
contra fascismo, é liberdade contra escravidão. A tragédia que o
nazismo desencadeou sobre o mundo está representada nestes

três quadros: a matança dos judeus em todos os países onde o nazismo assentou sua bota; a fuga desesperada de quantos se puderam salvar, gente de todas as pátrias, em busca de paz; e, por fim, a guerra. Já conhecia os dois primeiros quadros. Fiquei parado diante do último e, naquela noite paulista, o meu sono se povoou com as figuras trágicas do pintor. Nunca mais poderei esquecer este quadro, mesmo que não venha a vê-lo novamente. Jamais quem o viu poderá esquecê-lo.

É realizado com a dor humana e é um grito de protesto. É a contribuição de um artista para a batalha do homem livre contra as forças da opressão.

Anuncia-se para breve uma exposição de arte moderna na Bahia, sob o patrocínio do núcleo da Associação de Escritores. Desenhos e xilogravuras de Segall serão expostos ao lado de trabalhos de outros artistas nacionais. Mas eu fico pensando em quando poderemos ver os grandes quadros dos pintores modernos do Brasil e, principalmente, quando poderão os baianos admirar e sentir a grande arte ante os quadros de Lasar Segall, quando poderão sentir o máximo de ódio ao nazifascismo ante *Guerra*, tela que bastaria para imortalizar qualquer pintor. A exposição que se anuncia é uma realização digna de todos os louvores.

É um primeiro passo para a vinda, à nossa capital, dos grandes artistas que tragam seus grandes quadros. A começar por Lasar Segall.

SOLDADOS DA LIBERDADE
20/7/1944

RUGEM OS CANHÕES NAS PROXIMIDADES DA PRÚSSIA, NA FRANÇA E NA ITÁLIA, elevam-se as bandeiras aliadas sobre o solo libertado, sucedem-se as ordens do dia que anunciam vitórias, as batalhas tornam-se cada vez mais violentas, mas, acima de todas as notícias das frentes de batalha, uma comove e entusiasma os brasileiros: soldados do corpo expedicionário chegaram à Itália, soldados brasileiros estão no teatro da guerra prontos para lutar pela pátria e pela liberdade.

Quantos mil ainda não o sabemos. É o primeiro contingente de bravos que o Brasil envia para as batalhas decisivas. Noutra pátria latina, pátria que sofreu durante vinte anos a desgraça do fascismo, desembarcam os moços brasileiros, herdeiros de uma grande tradição de heroísmo. Levam, nas fardas que honrarão, uma inscrição que lembra aos demais que esses homens vieram de longe lutar pela liberdade e dignidade humana. E saberão lutar porque estão conscientes de que é necessário esmagar o nazifascismo inimigo da humanidade. Só assim, amanhã, as crianças que hoje enchem de alegria e de esperança o Brasil poderão viver num mundo livre. A ameaça de escravidão que o nazifascismo representa precisa ser eliminada. Os bravos de todo o mundo marcaram encontro em terras da Europa oprimida para a tarefa da libertação. Berlim é o destino de todos eles. E vieram ingleses e norte-americanos, russos e franceses, tchecos e iugoslavos, canadenses e australianos, brancos e negros, gente de toda a cor e da mais diversa espécie. Os brasileiros não podiam faltar nesta batalha de democracia contra o fascismo. Os telegramas anunciam sua chegada. E o entusiasmo irrompe em todos os corações, a alegria patriótica em todos os rostos, a certeza de que estamos cumprindo o nosso dever, de que estamos trabalhando pelo futuro do mundo.

A emoção que vai pela cidade, que vai por todo o Brasil, à notícia do desembarque dos brasileiros na Itália serve como justa medida do amor do nosso povo à liberdade e à democracia, do seu ódio ao fascismo. Logo depois de ter pedido a guerra, o povo pediu a guerra ativa. A quinta-coluna levantava então a bandeira de "guerra simbólica" e desenvolvia dezenas de argumentos para provar que nada tínhamos a fazer nos campos da Europa. Mas o povo esmagou com seu patriotismo a grita mesquinha dos traidores da pátria. E hoje os soldados brasileiros estão prontos para a batalha. De todas as partes do mundo, os antifascistas felicitam o povo brasileiro, que manda seus filhos para o bom combate. Estamos ganhando o direito de ter voz na conferência da paz. Estamos ganhando o direito à liberdade. Também o sangue brasileiro vai correr em defesa da democracia. Não há coração patriota que não sinta orgulho neste momento. Glória aos soldados do corpo expedicionário!

O GAIATO DE MADRI
27/7/1944

NÃO, DECIDIDAMENTE NÃO HÁ COMO ES-
QUECER O FAMIGERADO GENERAL Chico Franco, *gauleiter* da
Espanha. Esse homenzinho fatal, quando já nos esquecemos da
sua mísera figura, acha meios de surgir no noticiário telegráfico,
trazendo à nossa lembrança seu trágico ridículo.

Em verdade, porém, não podemos deixar de lhe reconhecer
certa razão para as últimas atitudes que o trouxeram de volta para
as primeiras páginas dos jornais. Franco tenta, desesperadamen-
te, conseguir uma paz de compromissos entre as Nações Unidas e
o Eixo. Ninguém, nem mesmo um cretino como o general Franco, pode mais duvidar da derrota hitlerista. Não são apenas indí-
cios, são fatos concretos que demonstram já não existir a mais mínima possibilidade de vitória para as tropas do nazifascismo. O
sentimento democrático, por outro lado, triunfa rapidamente entre os povos que anseiam uma paz que represente, também, a liquidação política do fascismo. Não é apenas a guerra que está
perdida para Hitler, Mussolini e para os diversos *quislings* nacionais da Espanha. Também a paz se anuncia terrível para o
fascismo. Entre as notícias últimas dos jornais encontramos a
formação do Comitê de Libertação da Polônia, com um programa democrático que deixa para longe o semifascismo dos barões
feudais que namoraram tanto tempo com o nazismo. De Gaulle é
reconhecido na França e o novo governo italiano é uma representação democrática do povo peninsular. Negras nuvens cobrem a
visão de Franco. Na sua frente ele vê apenas perspectivas ruins
para o seu governo. Porque não pode restar dúvida a ninguém
que Franco e seus comparsas não poderão sobreviver à derrocada
militar e política do nazifascismo.

Eis por que, de Madri, gaiatamente, Franco levanta mais uma
vez a bandeira da paz de compromisso, da paz negociada, da paz

contra os povos, da paz que possibilite a existência no após-guerra de governos como o da Espanha e o de Portugal. Aliás, o movimento de traição ao povo, nascido e batizado em Munique, não se reduz ao *quisling* espanhol. Salazar muito tem se movimentado no sentido de conseguir uma paz favorável ao fascismo. E nomes conhecidos de muniquistas surgem novamente no noticiário: volta a brilhar aquele célebre Spellmann, cavalheiro andante da paz negociada, saudosista do poder fascista. Em todo o mundo os pró-fascistas reiniciam sua trágica comédia. Oferecem paz pedindo em troca apenas que aos povos, que tanto sofreram e tanto se sacrificaram, não seja concedido nenhum direito. Que o terror e o obscurantismo continuem a reinar. À frente desses alarmados inimigos da humanidade está Franco, o gaiato de Madri, vestido com sangue do povo espanhol, pisando sobre cadáveres de poetas, mulheres e crianças assassinados, filho de Berlim e Roma fascista, nascido dos cambalachos de Chamberlain e outros Daladiers.

Mas nada conseguirão. Os povos em guerra e seus líderes mais eminentes já declararam clara e firmemente que só pode existir uma única fórmula de paz: a de rendição incondicional. Da guerra surgirá um mundo democrático onde os Francos serão demais, onde predominará a vontade livre dos povos. Os aliados reiniciam a ofensiva na Normandia, rumo a Paris. Os soviéticos estão às portas de Varsóvia. O gaiato de Madri, terno criado de Hitler, não tem escapatória... Porque, por mais estranho que pareça, Madri fica no caminho dos exércitos libertadores que se dirigem a Berlim...

DESMASCARAMENTO
28/7/1944

AS DECLARAÇÕES DE CORDELL HULL SO-
BRE O GOVERNO ARGENTINO DE FARRELL — agora divulgadas
pela imprensa — são das mais sérias que já fez um secretário de
Estado norte-americano sobre outro qualquer governo. Não deixam escapatória alguma para o regime que se instalou sobre o povo irmão. É uma série de acusações irrespondíveis. Não são palavras nascidas de necessidades políticas. São fatos relatados na sua
crua realidade. A situação do governo Farrell-Perón torna-se internacionalmente crítica ante as declarações de Cordell Hull. A
crise do reconhecimento do governo fascista da Argentina, crise
que vinha se arrastando, atingiu seu clímax.

Ao povo agradou a palavra realista do secretário ianque. Já a
demora da solução do caso argentino trazia preocupações àqueles
que temiam ver apoiado pelas nações democráticas um governo
de corte totalitário, onde os métodos de violência predominam.
Não é segredo para ninguém que o povo argentino sofre, no momento, uma opressão brutal. As mesmas características de governo que fizeram o mundo livre repudiar o nazismo e o fascismo,
são utilizadas por Perón. Se, para prová-lo, não bastassem as prisões em massa de democratas de todos os matizes sob o rótulo
único de "comunistas" (o espantalho desmoralizado que o hitle-
rismo levantou como arma de divisão e confusionismo), basta-
riam sem dúvida as fogueiras de livros levantadas em Buenos Aires, à maneira daquelas que a Gestapo levantou em Berlim. O
ódio à liberdade e à cultura é apanágio do governo Farrell que se
mantém exclusivamente pelo poder das armas sobre o povo.

As ligações entre este governo ditatorial e violento e os seus
colegas do Eixo já não podem — após as declarações de Cordell
Hull — ser escondidas. Quando da posse de Farrell, as bandeiras
falangistas da Espanha de Franco se alteavam ao lado da gloriosa

e humilhada bandeira argentina. A Espanha é o elo de ligação entre o fascismo sul-americano de Perón e a sua sede central de Berlim. Buenos Aires é lugar de recreio para os espiões nazis, apesar da farsa do rompimento com o Eixo. As prisões argentinas estão cheias, sim. Mas não de nazistas e fascistas, de quinta-colunas e traidores. Estão cheias de democratas, daqueles que lutaram pelas Nações Unidas, aqueles que saíram às ruas para apoiar a Inglaterra, os Estados Unidos, a União Soviética, aqueles que realizaram os comícios monstros de apoio ao Brasil quando entramos na guerra. Cordell Hull desmascarou toda a farsa ignóbil. A Argentina é, segundo ele, virtualmente uma aliada do Eixo.

O povo argentino, democrata e americanista, movimenta-se inquieto. Por mais brutal que seja a opressão ela não pode sujeitar para todo o sempre um povo que ama a liberdade. Condenado pelos governos continentais, o regime de Farrell perde suas últimas possibilidades de subsistir.

ARMA SECRETA
29/7/1944

SETE ORDENS DO DIA DITOU, ONTEM, O MARECHAL STÁLIN LOUVANDO TROPAS soviéticas em ofensiva contra o inimigo. Sete cidades foram libertadas e Varsóvia é o objetivo imediato.

Enquanto isso o dr. Goebbels, mentiroso capenga, tenta sustentar a moral alemã com a promessa de novas armas secretas. Bate no peito e grita que viu essas anunciadas armas e quase morre de susto, tão poderosas elas eram. E, como sabe que sua fama de loroteiro é grande entre o povo, jura que não está mentindo. Nem assim ninguém acredita.

A arma secreta do nazismo — a bomba voadora — tem causado talvez mais estragos do que gostamos de imaginar. Churchill não o escondeu perante a Câmara dos Comuns. Porém — e isso é importante — não pôde ela mudar o curso da guerra, não pôde impedir a invasão da Europa; não pôde parar a ofensiva gigantesca dos soviéticos. Na realidade as bombas voadoras em nada mudaram o panorama militar da guerra. Conseguiram apenas reforçar o ódio do povo inglês contra a barbárie nazista e tornar mais difícil qualquer política conciliatória. A arma secreta de Hitler sobre Londres representa o mesmo erro político dos bombardeios da capital inglesa, que enrijaram o ânimo do povo britânico.

A propaganda nazista chegou ao momento máximo da desmoralização. É já impossível esconder, sob o fraseado militar, a derrota na frente leste. Antes o dr. Goebbels e seus discípulos falavam em "brilhantes movimentos defensivos", em "encurtamento de linhas", em "novas posições inexpugnáveis". Já não falam em nada disso, pois todas essas patacoadas estão inteiramente desmoralizadas. Os russos avançam num ímpeto nunca visto, numa velocidade que pareceria impossível a qualquer exército, numa série de triunfos que transforma a retirada alemã numa debandada. E a propaganda nazista se apega, com a última tábua de salvamento, aos robôs que estarão nas fábricas nazistas. "Temos armas secretas a lançar. E elas modificarão o curso da guerra!"

Vamos convir que é muito pouco. Para um povo que vê seus exércitos em fuga na frente imensa do leste, que assiste à invasão da Europa, que sabe da queda de Roma, que compreende existir uma luta entre os generais e Hitler, para um povo que sente a aproximação do fim com o crescente desastre militar, promessa de Goebbels soa falsa. Cheira a milagre e o povo alemão começa a não acreditar nos dons sobrenaturais de Adolf, o carrasco.

Quando Varsóvia cair (e é capaz de já ter caído quando este comentário for publicado) o povo perguntará por que as armas secretas não impediram a perda da cidade que abre as portas para Berlim. E Goebbels já não terá o que responder. Nem uma só vitória militar, nem uma só vitória política pode o nazifascismo apresentar nestes últimos tempos. A não ser que Goebbels resolva fazer um discurso sobre o governo argentino de Perón. Porque esta é, ao que se saiba, a única vitória séria do fascismo nos últimos tempos. Fora daí os desastres sucedem-se uns aos outros. Sete cidades num dia são mais um recorde dos soviéticos.

Os aliados também têm uma arma secreta. Chama-se liberdade.

MICHAEL GOLD
4/8/1944

NÃO HÁ MUITO, O POVO NORTE-AMERICANO COMEMOROU COM GRANDES homenagens o 25º aniversário da atuação democrática do romancista Michael Gold. Eis aí um escritor que tem dado o melhor de si mesmo à luta por uma vida mais digna, pelo povo, pela elevação econômica e cultural das grandes massas, por um mundo menos egoísta. Universalmente célebre devido ao seu romance *Judeus sem dinheiro*, onde narra, com enorme força dramática, a existência dos judeus pobres nos Estados Unidos, Gold entregou-se nos últimos anos quase exclusivamente ao jornalismo. Escreve um artigo diário em Nova York, comentário vivo do fato do dia, esclarecimento ao povo sobre a verdadeira significação dos acontecimentos. Apostolado democrático, poder-se-ia chamar a essa constante colaboração do romancista nos diários americanos. A sua própria obra de romancista, Gold a deixou de lado, certo que o nosso tempo exige que o escritor venha para as colunas dos jornais para um trabalho menos duradouro, talvez, porém mais eficiente.

Mas já o seu nome não poderá ser desligado dos demais que formam esta geração do neo-realismo norte-americano, onde encontramos mestres do romance como Dreiser, Dos Passos, Steinbeck, Faulkner. Michael Gold, com um único romance, colocou-se na primeira fila dos criadores ianques. Porque seu livro está cheio da mais densa dor humana e também da mais densa esperança.

Não sei se foram as comemorações americanas em torno dos 25 anos de pregação democrática que levaram a editora Calvino Filho a lançar mais uma edição brasileira de *Judeus sem dinheiro*. Desta vez, acompanhada dos poemas e contos que formam outro volume de Gold, seu primeiro livro, *120 milhões*. De qualquer maneira, fosse por um ou outro motivo, a publicação do romance do líder ianque vem trazer às novas gerações brasileiras o conhecimento de um dos grandes livros da nossa época.

Poucos volumes terão comovido tanto os intelectuais e o público quanto o de Gold. Realmente inesquecível, *Judeus sem dinheiro* é uma obra-prima da literatura da nossa época e contém um pouco de tudo aquilo que forma o romance moderno: poesia, panfleto, documento e vida vivida com dor e esperança.

Livro dos mais significativos da literatura norte-americana, seu sucesso mundial é a melhor prova da sua importância. Seja nas páginas do seu romance, seja nos poemas, seja nas colunas dos jornais nos artigos diários, Michael Gold é um campeão da democracia, um batalhador dos povos em luta pela felicidade.

PARIS
13/8/1944

HÁ UMA CERTA EMOÇÃO INEGÁVEL ANTE O AVANÇO ANGLO-AMERICANO sobre Paris. Nós, brasileiros, sempre tivemos um carinho especial para com a capital da França. Tínhamos por ela um amor quase filial. Sonho de todo brasileiro alfabetizado era conhecer a "cidade luz", andar naquelas ruas ilustres, sentar nos bancos das suas universidades, beber o saber dos seus mestres, tratar com seus escritores. Paris sempre foi para nós símbolo de alegria, de liberdade, de inteligência. Era a capital da latinidade e assim a amávamos, como alguma coisa nossa. E por isso muito sofremos quando os bárbaros a invadiram num dia que vai distante, e humilharam suas ruas com as botas assassinas.

Recordo que fui de visita, naquele dia da queda de Paris, a um editor. Era no Rio de Janeiro e marcáramos hora para tratar de um negócio. Cheguei acabrunhado com a notícia de que Paris estava nas mãos sujas dos nazistas. E o meu amigo editor tinha a cabeça derrubada sobre a mesa, suas lágrimas corriam sobre os papéis em sua frente. Chorava como se fosse um francês, como se houvesse nascido em Paris e creio, no entanto, que ele nunca havia estado lá, jamais vira a cidade senão através dos cartões-postais.

Imagino, hoje, a sua alegria ao ler as notícias que chegam do front da Normandia. Avançam os anglo-americanos e a cada dia estão mais próximos de Paris, a cada dia estão mais próximos da libertação da capital do mundo. Seguimos de coração ansioso esta marcha entremeada de batalhas, marcha difícil, feita de heroísmo, feita de audácia, feita de decisão. Não tardará a libertação de Paris. E assistiremos então a uma festa colossal. Porque nada poderá impedir que, neste dia, o povo comemore a vitória. Este povo que traz a cidade de Paris no coração como o nome de uma bem-amada.

Mas não é apenas Paris que está em vias de ser libertada. Varsóvia, cercada e atacada pelos vitoriosos exércitos soviéticos, não tardará a se render. E então o povo polonês poderá se dedicar à construção da democracia na sua pátria, sonho de muitos anos que jamais chegou a se concretizar, numa sucessão de governos ditatoriais e fascistizantes. Agora a aurora dos tempos novos raia sobre a Polônia, que tanto sofreu. Varsóvia libertada será o começo de uma nova era para os poloneses.

Também uma nova era para os alemães começa com a invasão da Prússia. Começa a agonia do nazismo na sua terra natal. O monstro está ferido em todas as frentes de batalha. Das feridas militares escorrerá o sangue político e o fascismo desaparecerá da terra. Com os últimos golpes irá também o neofascismo da Espanha que se implantou na Argentina. O sol que iluminará Paris estenderá sua luz e seu calor de liberdade sobre todo o universo!

O MESTRE DOS CORRESPONDENTES
16/8/1944

UMA FOTOGRAFIA MOSTRA ERNEST HEMING-WAY, O NOTÁVEL ROMANCISTA norte-americano, célebre no mundo inteiro pelos seus trabalhos de criação, discutido e admirado, nas frentes de batalha. Mas não está o escritor ianque na sua função de romancista, buscando assunto para mais um *Adeus às armas*. Não. A fotografia fixa um homem vestido com a farda de correspondente de guerra em meio a prisioneiros alemães, soldados inimigos que o romancista capturou. Esta guerra dignificou em definitivo a função dos correspondentes, dos jornalistas especializados. E provou que entre eles estavam alguns grandes escritores e alguns homens verdadeiramente heróicos. Porém, não é para esse lado da questão que desejo chamar a atenção dos leitores. E, sim, para o exemplo dos romancistas e poetas, criadores que abandonaram seus romances e seus poemas pelo lápis do correspondente de guerra. Hemingway não é um exemplo isolado. Entre os norte-americanos, basta citar Steinbeck e Caldwell. E os russos? Aleksei Tolstói e Ehrenburg, Cholokhov e Gladkov, romancistas e poetas, sábios e artistas, estão nas frentes de batalha. Ao lado dos correspondentes profissionais surgem agora esses criadores que sentem ser a hora de tudo abandonar para um contato mais íntimo com o público, através os assuntos da guerra.

Todos os correspondentes, sejam os jornalistas de profissão, sejam os escritores transformados em jornalistas, têm, num correspondente da guerra passada, o seu grande mestre. John Reed foi o homem que inaugurou, por assim dizer, a grande reportagem de guerra nos tempos modernos. Foi pelo menos aquele que primeiro se deu de corpo e alma à profissão, fazendo-a não por simples dever profissional, mas também por sentir a causa sobre a qual escrevia.

Este americano, filho de pais milionários, que se fez jornalista, não era simples profissional que escrevia laudas e laudas de papel. Escrevia para esclarecer e suas reportagens traziam para a imprensa ianque certa marca de realidade que logo o tornou inconfundível. Fez a campanha de Pancho Villa, no México, e foi o melhor defensor dos camponeses mexicanos em busca de sua independência econômica. Fez depois reportagens sobre a guerra de 14 e sua pena não tinha meias-tintas. Seus depoimentos nesta época ficaram entre os mais valiosos. Mas a sua obra-prima, ele a iria escrever sobre a revolução russa, à qual assistiu não só como espectador, mas também como ator. Tomou parte em todos os grandes acontecimentos que fizeram ruir o império dos tsares e o resultado foi este livro imortal, que vem de ser reeditado em português: *Dez dias que abalaram o mundo*. O que é este livro e qual o seu valor todos o sabem.

Desejo chamar a atenção para um detalhe, apenas. Esta edição traz, como complemento, alguns contos de John Reed. Através deles ficamos sabendo que Reed não era apenas um jornalista, mas também um criador que abandonou a ficção quando lhe pareceu que era chegado o momento de se dar por inteiro aos acontecimentos imediatos. Assim, ele não é apenas o patrono dos correspondentes profissionais. É igualmente o mestre dos romancistas e contistas que estão, hoje, nas frentes de batalha, transformados em correspondentes de guerra.

A FRENTE DA BRETANHA
17/8/1944

CERTA VEZ CHURCHILL DECLAROU QUE NÃO HAVERIA APENAS A SEGUNDA FRENTE. Outras frentes seriam abertas na Europa, tantas quantas fossem necessárias. E a promessa vem sendo cumprida. Os nazistas lutam agora numa quantidade de frentes que lhes tira toda a possibilidade de vitória. Na imensa frente leste, os soviéticos estão sobre as fronteiras da Prússia e têm sob cerco centenas de milhares de nazistas no Báltico. O dia da liberdade começa a raiar para a Tchecoslováquia, em cujas fronteiras lutam as forças russas. A libertação da Polônia prossegue.

Na frente italiana continua a marcha dos soldados anglo-americanos. Florença em mãos aliadas aponta para o norte, no rumo da Áustria. Na frente da Normandia o objetivo é Paris. E na Bretanha ruem mais uma vez os muros da Fortaleza Européia.* A ligação futura das forças aliadas na Normandia com as forças que desembarcaram no sul da França fará a nova grande frente de batalha, que esmagará em definitivo os nazistas. Estes falam agora na "batalha da pátria", esquecendo-se do que afirmavam sobre a impenetrabilidade da Europa. Quantas vezes não bradaram os nazistas que jamais os soldados aliados pisariam em solo da Europa continental, todo ele uma fortaleza intransponível? Hoje, mais este mito está por terra, pisado pelos soldados libertadores que vencem as legiões bárbaras do terror, que marcham para a última batalha.

O desembarque no sul da França traz novos fatores para a batalha militar e também para a batalha política. A importância do desembarque de soldados franceses, à frente do exército aliado, é da máxima importância. Virá facilitar de muito o levante do povo, virá

---

* Barreira que os nazistas tentaram erguer no litoral da Bélgica e da França, até a fronteira com a Espanha. Milhões de minas foram instaladas na região. O principal ataque contra a Fortaleza Européia ocorreu em 6 de junho de 1944, o "dia D", quando cerca de 7 mil embarcações vindas da Inglaterra chegaram à Normandia, acompanhadas por milhares de aviões dos aliados.

infundir novo ânimo nos milhares de patriotas que, dentro da França, lutam contra o agressor germânico. Já nenhuma exploração poderá ser feita pelos fascistas de todos os matizes sobre o futuro da França. Os soldados de De Gaulle são a melhor garantia que os aliados podem oferecer ao povo francês de que seu direito de autodeterminação será garantido. O regime de Vichy, que, segundo parece, alimentou esperanças de continuar no poder, mesmo com a presença das forças aliadas vitoriosas, já não tem outro recurso senão a fuga ou o suicídio coletivo. O velho traidor e seus sequazes, se alimentaram ilusão tão imbecil, devem a esta hora lastimar sua esperança. Pois os soldados franceses que desembarcaram não deixam dúvidas sobre as intenções políticas dos aliados.

No momento em que a batalha militar atinge seu ponto mais alto, quando as armas destroem o poderio nazifascista, só resta a Hitler a tentativa de uma paz de condições. Mas Churchill vem de afirmar também que uma paz desse tipo é impossível. Não existe outra fórmula para a paz senão a de rendição incondicional. É o fim, não há dúvida, e agora estamos apenas a poucos meses do término da guerra. Não tardarão os dias da conferência da paz.

LITERATURA E ESPIRITISMO
19/8/1944

MAIS DE UM LEITOR JÁ ME TEM ESCRITO PE-
DINDO MINHA OPINIÃO SOBRE a ruidosa questão forense levantada em torno às chamadas obras de além-túmulo de Humberto
de Campos, recebidas pelo médium Chico Xavier, de São Leo-
poldo. Vários motivos levaram-me a não escrever sobre o assunto, e só mesmo a insistência de certos leitores obrigam-me a lhe
dedicar, hoje, estas colunas. Creio que temos assuntos muito mais
sérios com que nos preocuparmos. A guerra está aí, diante de nós,
o nazifascismo ainda estrebucha nos estertores da agonia e o neofascismo nascido na Espanha sonha dominar a América Latina.
Enquanto isso, a atenção de milhares de brasileiros é desviada para uma questão secundária neste momento. Digo secundária sem
receio de ferir as suscetibilidades dos espíritas, pois creio que
qualquer seguidor de religião espírita, como qualquer católico ou
qualquer protestante que seja realmente patriota, coloca a guerra
em que estamos empenhados acima de qualquer outro assunto.

Feita essa ressalva, vejamos o caso: a família de Humberto de
Campos propôs uma ação contra a Federação Espírita Brasileira,
pedindo o pagamento dos direitos autorais sobre as obras de
além-túmulo, publicadas por aquela casa editora e cuja autoria é
atribuída a Humberto de Campos. Inicialmente, isso quer dizer
que a família do finado cronista aceita como de Humberto de
Campos a autoria das obras. Porque, se assim não fosse, não iria
reclamar os direitos... Não vou eu tampouco discutir aqui a verdade ou a falsidade das obras atribuídas a Humberto de Campos.
Isso daria margem para polêmicas sem nenhum interesse, como
aliás está acontecendo.

O que me parece é que toda essa história está errada desde o
princípio, e nela não há nenhuma beleza. Não sou dos admirado-
res de Humberto de Campos. Sempre o considerei um escritor

secundário, seja na sua fase frascária, seja na sua fase de exploração sentimental das enfermidades que sofria. Sua popularidade correspondeu a um momento na evolução do nosso público e foi breve, logo se desfez. O processo atual adquire, assim, o valor de uma publicidade enorme para as obras hoje semi-esquecidas do autor de *Sombras que sofrem*.

Disse que tudo me parecia errado nesse negócio, desde o princípio. Vejamos: por que a família, em vez de propor uma ação exigindo os direitos autorais, não exigiu apenas que o nome de Humberto de Campos não fosse usado em obras cuja paternidade é duvidosa (pelo menos) e que são, na opinião dos técnicos de literatura, inferiores às publicadas em vida pelo cronista? O filho de Humberto de Campos afirma que as obras de além-túmulo desmerecem das anteriores, das publicadas em vida. Por que então não solicita que a Federação Espírita não use o nome de Humberto de Campos? Por que a família do escritor consente que utilizem o nome de um autor celebrado em livros considerados inferiores? Por que só se preocupa com receber os direitos?

Eis aí as perguntas que surgem ao ler o que se publica sobre o assunto. No fundo, resulta tudo isso numa propaganda do espiritismo e também das obras de Humberto de Campos, que o livreiro Jackson não parece estar tendo muita facilidade para vender...

O TRAIDOR VIRA HERÓI
30/8/1944

A CARTA DO LEITOR É CHEIA DE INDIGNA-
ÇÃO E SURPRESA: "Querem transformar Pétain em mártir ou em
herói. Por que essa comédia?". E junta recortes de jornais, onde telegramas provindos de Madri, Lisboa e outros centros da quinta-
coluna contam, com palavras ternas, os últimos atos do marechal
da traição e citam sua pretensa epístola a Churchill, entregando o
governo a De Gaulle. O chefe colaboracionista vira subitamente o
prisioneiro da Gestapo, um mártir, sacrificando-se pelo bem da pátria. É uma cínica comédia, sem dúvida, e o meu leitor tem razão
em escandalizar-se. Não, porém, em surpreender-se.

Pétain e seus atos não existiram porque o marechal francês
fosse, apenas, um sujeito sem caráter. Esse marechal foi, antes de
tudo, utilizado. Boneco cujos cordões eram movidos pelos mesmos senhores que ditaram a Chamberlain e a Daladier as frases
pacifistas e ignóbeis da Conferência de Munique. Os mesmos que
fizeram de Léon Blum um palhaço, com a política de não-intervenção da Espanha. Foram eles os inimigos dos povos, os donos
de absurdos privilégios, os senhores da fome, os que desejam que
a democracia jamais seja estabelecida (no caso da França, as duzentas famílias e seus aderentes), que decretaram a atitude de Pétain, Weygand, Gamelin e outros traidores do exército e dos políticos que entregaram a França. Mas foram eles também que
enviaram Darlan, Giraud e outros Pucheus para Argel quando
lhes pareceu que as Nações Unidas tinham possibilidades de vitória. Já que Hitler perdia a guerra, era necessário sustentar posições
no campo das democracias para ganhar a paz contra os povos.

Sustentáculos de Pétain, sustentáculos de Vítor Emanuel,
sustentáculos de Mihailovic, de Franco, de Salazar, como já o foram de Mussolini e de Hitler. Só um desejo os anima: impedir
que o mundo do futuro seja democrático porque, se assim for,

seus privilégios vêm abaixo. Hoje, eles conspiram no seio das Nações Unidas, são os homens do neofascismo, são os homens da paz de compromisso, são os anti-soviéticos *à outrance*, são os que desejam converter o pulha Pétain no mártir Pétain.

Imaginam eles que ao desonrado marechal ainda pode caber um lugar nos acontecimentos que se processarão na França livre. Feito herói e mártir, amanhã poderá o boneco que vendeu a França novamente comandar cruzadas contra o povo nas ruas de Paris.

É que esta guerra, cujo fim na Europa se aproxima, não é, apenas, um embate entre tropas de diversos países. É mais que isso: é uma luta de morte entre dois sistemas de governo, dois métodos de vida para a humanidade. A democracia e o fascismo. E a luta não se trava apenas nos campos de batalha. Trava-se em todas as partes, nas cidades, nas vilas e nas aldeias, nas associações, no seio dos governos, entre os que desejam um mundo livre governado pela vontade popular e os que aspiram à continuação dos regimes de força, dos fascismos claros e mascarados, dos métodos terroristas de governo. Nessa batalha o caso de Pétain é, apenas, um detalhe. Querem fazer do traidor um herói. Mas o povo francês sabe bem onde colocar esse herói de fancaria. Um bom poste parisiense, uma boa corda sobrada da Revolução Francesa e a "Marselhesa" entoada por milhares de vozes...

FIM DE CARREIRA
6/9/1944

CHEGA AO FIM A CARREIRA POLÍTICA DO MARECHAL BARÃO Gustav Mannerheim, primeiro-ministro e praticamente ditador da Finlândia. Um novo governo se estabelece para negociar a paz com a União Soviética e, dentro de um regime democrático, o barão feudal da Finlândia pagará por seus inúmeros crimes contra o povo.

São carreiras que terminam. De políticos que cresceram à sombra do fascismo, alimentados pela traição à pátria, pelo ódio ao povo, governando sob ondas de terror, vivendo às custas da polícia política. Vemos que na França começam os julgamentos dos colaboracionistas, dos que entregaram a pátria, e a vigilância popular em torno desses julgamentos prova que o povo está disposto a não deixar sem castigo um só dos traidores. Na Romênia, o rato Antonescu está preso e sua hora final não pode tardar. Na Itália, os antifascistas caçam, apesar das dificuldades políticas, os que trouxeram o povo italiano amarrado às cadeias da escravidão. No fim da guerra européia, quando as legiões de Hitler fogem ante o avanço anglo-soviético-americano, a carreira dos *quislings* termina. Um a um, eles caem de podre. Breve chegará a vez de Franco, não tenham dúvidas, amigos. Breve chegará a sua vez.

O barão e marechal Gustav Mannerheim há mais de 25 anos oprime o povo da Finlândia. Foi ele o chefe da legião que, em 1918, se atirou contra a jovem União Soviética, ao mesmo tempo que liquidava as formas democráticas da nascente república finlandesa. Trinta mil operários foram por ele mortos, nas ruas de Helsinque, num dos maiores crimes deste século. Metralhados nas ruas por ordem deste senhor feudal que representava a casta mais atrasada do norte da Europa. Seu nome, desde então, esteve marcado pelo povo como um dos seus mais mortais inimigos. Mannerheim, o assassino. Era o símbolo vivo da reação obscurantista, era a bandeira da perseguição política, do governo contra o povo.

É claro que o barão Gustav teria de ser, logo depois, um sustentáculo do fascismo. Mascarando de democrata o terror finlandês, para uso externo, ele foi o triste herói da aventura anti-soviética de 40. Perdeu a guerra e vingou-se no seu povo, tornando ainda mais terrível a ditadura fascista que exercia. Namorava Hitler e Mussolini, esperava que eles dominassem o mundo para fazer-se o dono, para sempre, da Finlândia. E embarcou na guerra contra a União Soviética mais uma vez.

Hitler encheu de condecorações o peito podre do barão e marechal. Foi tudo que ele ganhou nesta guerra antipopular contra a Rússia. Derrotas sobre derrotas marcaram a atuação dos exércitos de Mannerheim. E agora a Finlândia sai da guerra e o marechal sai do governo. Não sei de que maneira ele será executado. Se enforcado, se fuzilado, se guilhotinado. Esse é um problema do povo finlandês.

Termina a carreira de mais um lacaio de Hitler e do fascismo. Muitas outras terminarão também. De todos aqueles que floresceram à sombra do fascismo, sustentados pela polícia política, desencadeando o terror entre o povo, mergulhando a pátria no obscurantismo. Lixo fascista, os povos estão a varrê-lo do mundo que se liberta para sempre!

A BATALHA DE BERLIM
13/9/1944

COMEÇOU A BATALHA DA ALEMANHA. OS ALIADOS VENCERAM BRILHANTEMENTE a da Fortaleza Européia e agora trata-se do próprio Reich. Note-se o número de países libertados nessa etapa da guerra que vem de terminar. Na frente leste a Romênia, a Bulgária, a Finlândia, meia Polônia. Os dois primeiros países, de aliados de Hitler passaram a seus inimigos. Democratizaram seus governos. A Finlândia ainda não tem o seu caso resolvido. De qualquer maneira é muito improvável que possa se manter neutra e muito menos provável é que o governo de Mannerheim consiga permanecer no poder com seu feudalismo fascista. Na frente oeste, além da Itália, já a França, Luxemburgo e a Bélgica encontram-se em mãos dos aliados. O exército francês colabora ativamente com as forças anglo-americanas, ao mesmo tempo em que o marechal Tito domina grande parte da Iugoslávia. Um verdadeiro descalabro do poderio nazista.

Porém, não foram apenas esses feitos militares aliados que vieram apressar o início da batalha da Alemanha. A revolta se generalizou entre os povos europeus. A Grécia ferve, a Tchecoslováquia se levanta, a Holanda, a Dinamarca, a Noruega esperam ansiosas o momento da libertação. O Reich mobiliza seus últimos homens para uma tentativa desesperada de resistência nas suas fronteiras, que os russos já penetraram pelo leste, na Prússia, e os anglo-americanos já penetraram pelo oeste.

É necessário juntar a estas derrotas militares as políticas, já que não basta ganhar a guerra, é preciso também ganhar uma paz democrática, dentro das resoluções de Teerã. Na França, apesar dos problemas já surgidos, o governo De Gaulle consegue unidade e se afirma democraticamente. Na Itália, Bonomi é sustentado pelo povo. As novas democracias búlgara e romena têm uma participação popular que é garantia da sua continuidade.

Não é necessário falar na Iugoslávia e na Tchecoslováquia. Falemos antes nos países em que tentam manter, contra a vontade dos seus povos, regimes fascistas desmascarados ou mascarados. A revolta na Espanha é inevitável. Da França chegam grandes palavras: é necessário libertar a Espanha. Moscou faz um apelo ao povo espanhol. A queda de Franco será uma decorrência lógica da democratização da Europa. Quanto ao professor Salazar, que é ele senão um apêndice da Falange? Não irá ser Portugal a exceção fascista na Europa democrática.

A Argentina, Espanha da América, retira-se do Comitê de Defesa Política do Continente. Abandonou a máscara que não enganava ninguém. Teremos, sem dúvida, um revigoramento da unidade continental em face da atitude antiamericanista da Argentina e é muito possível que, com isso, naufrague o governo de Perón. Enquanto isso, La Paz reconhece Moscou, abandonando em definitivo a órbita de Buenos Aires.

Hitler recebe golpes sobre golpes. Militares e políticos. Agora as armas fascistas estão cercadas na Alemanha. Vai começar a batalha de Berlim. E a política fascista está cercada em diversas ilhas, nas quais ainda resiste pelas águas claras dos países democráticos.

A sorte do governo Farrell-Perón está sendo jogada também na batalha da Alemanha.

OS CHARUTOS DE MARX
28/9/1944

HÁ TODO UM LADO ÍNTIMO, CHEIO DE TER-
NURA FAMILIAR, DE VIDA AFETIVA, na existência desse homem
barbado que, em Londres, escreveu um livro destinado a provocar
tremendas mudanças no panorama do mundo. Tremendas pela
profundidade e pela força realizadora. Karl Marx, o alemão que
encontrou em Londres o clima mais propício para escrever sua
obra monumental, era o mais doce pai de família, o mais terno es-
poso que se pode imaginar. O depoimento de sua filha, publicado
agora em português juntamente com a celebrada biografia de
Marx, escrita por Max Beer e com um resumo de *O capital*, mostra-nos a intimidade familiar de um grande homem. Os editores
deste volume (Coleção Estudos Sociais, da Calvino) reuniram
uma série de elementos num só livro para o julgamento do autor
de *O capital*. A biografia de Max Beer é um desses grandes livros
indispensáveis para o melhor conhecimento de uma teoria, de
uma época e de um homem. O resumo do livro básico de Marx é
claro que sofre do defeito de todos os resumos. Mas tem também
a utilidade que não falta aos resumos bem-feitos, capazes de dar
uma idéia do pensamento do autor. Além disso, o volume comporta "Recordações da vida íntima de Marx", por Paul Lafargue,
"Meu pai", por Eleonora Marx, "Karl Marx", por Lênin, e "Pau-
sas e avanços do marxismo", por Rosa Luxemburgo, a extraordinária alemã fuzilada logo após a guerra de 1918. Como se vê, é a
reunião de uma série de depoimentos sobre Marx, sua obra, sua vida, a importância do seu pensamento sobre o nosso tempo.

Importância indiscutível, que já ninguém procura negar.
Aplaudidas ou combatidas, a obra e a personalidade do escritor
alemão são dessas que não podem deixar de ser estudadas, tal a
sua projeção sobre o pensamento mundial nos dias que vivemos.
Esse volume, agora aparecido em português, mostra-nos as di-

versas facetas de Marx, desde o estudo da sua obra até a sua intimidade familiar, tão cheia de doçura.

Poucos livros foram tão editados, lidos, vendidos, resumidos, discutidos, quanto *O capital*. Era para enriquecer para sempre o seu autor. Era para deixar grande herança aos familiares, garantir fortuna aos herdeiros. Em todas as línguas do mundo, nas edições mais diversas, *O capital* é encontrado. No entanto, Karl Marx viveu em eterna pobreza e costumava dizer aos amigos que os direitos autorais do seu livro não lhe pagariam sequer os charutos que fumara ao escrevê-lo...

Porque ele era amigo também do bom humor, não era um homem fechado, de rosto zangado. Ao contrário, em meio a toda a pobreza que o rodeava, encontrava como ser alegre e terno para com a família e os amigos. Este gigante que revolucionou o pensamento do mundo era o mais afetivo dos pais, o melhor dos amigos.

índice onomástico

ABREU, Casimiro de (1839-60), poeta brasileiro: 64

ÁLVAREZ DEL VAYO, Julio (1890-1975), político e jornalista espanhol: 178

ALVES, Castro (1847-71), poeta brasileiro: 58, 64, 95, 126-7, 209

AMARAL, Tarsila do (1886-1973), pintora brasileira: 124

AMORIM, Clóvis (1911-70), escritor e jornalista baiano: 32

ANDRADE FILHO, Oswald de (1914-72), pintor brasileiro, filho do escritor Oswald de Andrade: 125

ANDRADE, Oswald de (1890-1954), escritor modernista brasileiro: 152-4, 200

ANTONESCU, Ion (1882-1946), primeiro-ministro da Romênia durante a Segunda Guerra Mundial: 252

ARANHA, Osvaldo (1894-1960), ministro brasileiro da Justiça e da Fazenda em 1931, depois ministro das Relações Exteriores entre 1938 e 1944: 87, 142, 183-4

ASSIS, Joaquim Maria Machado de ver Machado de Assis, Joaquim Maria

ASTOR, lady [Nancy Witcher Astor] (1879-1964), primeira mulher a integrar a Câmara dos Comuns no Parlamento britânico: 92, 112

AZEVEDO, Álvares de (1831-52), poeta brasileiro da segunda geração romântica: 64

BADOGLIO, Pietro (1871-1956), sucessor de Mussolini, foi primeiro-ministro da Itália de 1943 a 1944: 96, 103-4, 106, 109-11, 129, 137-8, 143, 156, 160, 189, 212

BALZAC, Honoré de (1799-1850), romancista francês: 122

BARBUSSE, Henri (1873-1935), escritor francês: 115

BARRETO, Lima (1881-1922), escritor e jornalista brasileiro: 64

BARRETO, Tobias (1836-89), crítico e poeta brasileiro: 64

BARROSO, Gustavo (1888-1959), literato e político brasileiro: 56, 67-8, 81, 87, 151, 174

BASTIDE, Roger (1898-1974), sociólogo francês radicado no Brasil, estudioso das tradições afro-brasileiras: 171-2

BATISTA, Fulgencio (1901-73), ditador cubano: 38, 221

BECK, Józef (1894-1944), diplomata e político polonês: 158

BEER, Max (1864-1943), historiador alemão: 256

BÉKESSY, Janos ver Habe, Hans

BENEŠ, Edvard (1884-1948), segundo presidente da Tchecoslováquia: 223

BHERING, Edith (1916-95), desenhista brasileira: 125

BLUM, Léon (1872-1950), político francês: 250

BOISSON, Pierre (1894-1948), político francês: 138

BONADEI, Aldo (1906-74), pintor brasileiro: 125

BONAPARTE, Napoleão (1769-1821), imperador francês: 93, 100

BONOMI, Ivanoe (1873-1951), primeiro-ministro da Itália entre 1944 e 1945: 223, 254

BULCÃO, Athos (1918-), pintor e escultor brasileiro: 208, 218

CALDWELL, Erskine (1903-87), escritor norte-americano: 132, 244

CAMPOS, Antônio de Siqueira (1898-1930), militar brasileiro: 78

CAMPOS, Humberto de (1886-1934), escritor brasileiro: 248-9

CARPEAUX, Otto Maria (1900-78), jornalista e crítico literário austríaco naturalizado brasileiro: 174, 187, 188, 200, 201

CARVALHO, Flávio de (1899-1973), arquiteto e pintor brasileiro: 124

CASTILLO, Ramón S. (1873-1944), presidente da Argentina de 1942 a 1943: 108-9, 180, 184

CASTRO, Juan José (1895-1968), maestro argentino: 173

CHAMBERLAIN, Arthur Neville (1869-1940), foi primeiro-ministro do Reino Unido de 1937 a 1940: 91, 112, 226, 235, 250

CHAPLIN, Charles (1889-1977), ator e diretor de cinema britânico, criador de Carlitos: 117

CHIANG Kai-shek (1887-1975), militar chinês, líder do Kuomintang, foi presidente da China durante a Segunda Guerra Mundial: 46

CHOLOKHOV, Michail (1905-84), escritor russo: 132, 244

CHOPIN, Frédéric (1810-49), compositor polonês: 47

CHOSTAKOVITCH, Dmitri (1906-75), compositor russo: 173

CHURCHILL, Winston (1874-1965), primeiro-ministro do Reino Unido durante a Segunda Guerra Mundial: 46, 48, 57, 90, 92-3, 100-1, 113, 115, 142-3, 179, 238, 246-7, 250

CIANO, Galeazzo, conde (1903-44), político italiano, genro de Mussolini: 159-60

CLIFT, Montgomery (1920-66), ator norte-americano: 117

CONSTANT, Benjamin (1836-91), militar e político brasileiro: 127

CRESPI, Rodolfo, conde (1874-1939), imigrante italiano que se tornou um grande industrial no Brasil: 81

CRUZ E SOUSA, João da (1861-98), poeta simbolista brasileiro: 64

CRUZ, Oswaldo (1872-1917), médico e sanitarista brasileiro: 75

DALADIER, Édouard (1884-1970), Presidente do Conselho francês no início da Segunda Guerra Mundial: 91, 138, 189, 216, 226, 235, 250

DANTAS, Luiz Martins de Souza (1876-1954), embaixador do Brasil na França durante a Segunda Guerra Mundial: 60-1

DANTAS, San Tiago (1911-64), advogado e político brasileiro: 137, 146

DARLAN, François (1881-1942), primeiro-ministro da França entre 1941 e 1942: 58, 111, 118, 129, 138, 250

DE GAULLE, Charles (1890-1970), general, líder das forças armadas francesas durante a Segunda Guerra Mundial, governou a França de 1944 a 1946: 46, 59, 95, 111, 130, 172, 189, 190, 194, 223-4, 226, 227, 234, 247, 250, 254

DEANE, Percy (1922-94), pintor e ilustrador brasileiro: 125, 218

DI CAVALCANTI, Emiliano (1897-1976), pintor brasileiro: 124

DIAS, Henrique (?-1662), herói brasileiro, filho de escravos libertos, lutou contra os holandeses no Nordeste: 64

DOLLFUSS, Engelbert (1892-1934), chanceler austríaco: 174

DOS PASSOS, John (1896-1970), escritor norte-americano: 204, 240

DREISER, Theodore (1871-1945), romancista norte-americano: 32, 240

EHRENBURG, Ilya (1891-1967), escritor e jornalista soviético: 132, 153-4, 216-7, 244

EINSTEIN, Albert (1879-1955), físico alemão de ascendência judaica, célebre pelo desenvolvimento da teoria da relatividade: 32, 53

EISENSTEIN, Sergei (1898-1948), cineasta soviético: 117

ENGELS, Friedrich (1820-95), filósofo e político russo, fundador, juntamente com Karl Marx, do socialismo científico: 173

ESTENSSORO, Víctor Paz (1907-2001), fundador do Movimiento Nacionalista Revolucionário, foi presidente da Bolívia por quatro vezes: 164

ETCHEGOYEN, Alcides, coronel (1901-56), militar brasileiro, foi chefe de polícia do Distrito Federal de 1942 a 1943: 86, 102

FARRELL, Edelmiro Julián (1887-1980), militar argentino que governou o país entre 1944 e 1946: 221, 236-7, 255

FAULKNER, William (1897-1962), escritor norte-americano: 240

FERREIRA, Lucy Citti (1911-), pintora brasileira: 125

FEUCHTWANGER, Lion (1884-1958), escritor alemão de ascendência judaica: 53

FLANDIN, Pierre-Étienne (1889-1958), primeiro-ministro da França em 1940: 138

FONSECA, Manuel Deodoro da (1827-92), militar e político que proclamou a República brasileira, tornando-se o primeiro presidente do Brasil: 78

FRANCO, Francisco (1892-1975), ditador espanhol, governou o país de 1936 a 1975: 31, 37, 96, 103, 106, 128, 135, 138-9, 143, 145, 162, 168-9, 178, 194, 198, 206-7, 216, 222-3, 234-6, 250, 252, 255

FREUD, Sigmund (1856-1939), médico neurologista austríaco, fundador da psicanálise: 31, 53

FREYRE, Gilberto (1900-87), sociólogo e escritor brasileiro: 167, 168, 205, 214

GABLE, Clark (1901-60), ator de Hollywood, foi também capitão aviador do exército norte-americano durante a Segunda Guerra Mundial: 116-7

GAMA, Luiz (1830-82), escritor e jornalista brasileiro: 64

GAMELIN, Maurice (1872-1958), general francês: 226, 250

GARCÍA LORCA, Federico (1898-1936), poeta espanhol, vítima da Guerra Civil Espanhola: 31, 38, 74

GARIBALDI, Anita (1821-49), companheira de Giuseppe Garibaldi, desempenhou importante papel na Revolução Farroupilha: 84

GARIBALDI, Giuseppe (1807-82), guerrilheiro italiano, atuou na Europa e também na América do Sul: 97

GAULLE, Charles de ver De Gaulle, Charles

GENTA, Jordán Bruno (1909-74), escritor argentino: 174

GIRAUD, Henri (1879-1949), general francês: 46, 111, 138, 143, 156, 189, 250

GLADKOV, Fiódor (1883-1958), escritor soviético: 244

GOEBBELS, Joseph (1897-1945), ministro da Propaganda na Alemanha nazista: 47, 92, 116, 134, 148, 192, 203-4, 238-9

GOELDI, Osvaldo (1895-1961), desenhista brasileiro: 124

GOERING, Hermann (1893-1946), marechal do Reich, segundo político mais influente na Alemanha de Hitler: 92, 112, 134

GOLD, Michael (1893-1967), escritor norte-americano: 240-1

GOLSSENAU, Arnold Friedrich Vieth von ver Renn, Ludwig

GONSALES, Francisco Rebolo ver Rebolo Gonsales, Francisco

GUIDO, Ângelo (1893-1969), pintor brasileiro: 187

GUIGNARD, Alberto da Veiga (1896-1962), pintor brasileiro: 124, 218

HABE, Hans (1911-77), um dos pseudônimos do escritor Janos Békessy, austro-húngaro de ascendência judaica: 63

HEMINGWAY, Ernest (1899-1961), escritor norte-americano: 244

HESS, Rudolf (1894-1987), deputado do Partido Nazista, desempenhou papel de destaque no Terceiro Reich: 92

HIMMLER, Heinrich (1900-45), líder da SS e da Gestapo durante o regime nazista: 92, 220

HIROHITO (1901-89), imperador do Japão, reinou de 1926 até sua morte: 46, 48

HITLER, Adolf (1889-1945), líder nazista e ditador da Alemanha: 31, 33, 35-7, 44, 46-8, 52-3, 61, 63-5, 69-72, 79, 83-4, 86, 89, 91-3, 95-6, 100-1, 103, 105-6, 109-10, 112, 116, 118, 120, 122, 126, 128-9, 131, 133-4, 136, 140, 142-4, 148, 155, 158, 163, 166, 168, 175, 183, 185-6, 188, 190, 195, 197-8, 203, 207, 212, 219, 222, 225-6, 229, 234-5, 238-9, 247, 250, 252-4

HORTHY, Miklós (1868-1957), regente da Hungria durante a Segunda Guerra Mundial: 197-8

HOWARD, Leslie (1893-1943), ator inglês: 117

HUGO, Victor (1802-85), poeta e romancista francês: 58

HULL, Cordell (1871-1955), foi secretário de Estado dos EUA de 1933 a 1944: 108-9, 128, 236-7

IBÁÑEZ DEL CAMPO, Carlos (1877-1960), ditador e presidente chileno: 44

ITARARÉ, Barão de ver Torelly, Apparício

JOANA ANGÉLICA, sóror (1761-1822), freira baiana, mártir da Independência na Bahia: 84

KIRCHWEY, Freda (1893-1976), jornalista norte-americana, escreveu importantes artigos contra o nazifascismo durante a Segunda Guerra Mundial: 195-6

LA FAYETTE, marquês de (1757-1834), militar francês: 59

LAU, Percy (1903-72), desenhista peruano radicado no Brasil: 125

LAVAL, Pierre (1883-1945), primeiro-minis-

tro da França durante a ocupação nazista: 31, 63, 94, 145, 216, 227

LEÃO, Carlos (1906-83), arquiteto e pintor brasileiro: 125

LÊNIN, Vladimir (1870-1924), revolucionário russo, dirigiu o Partido Comunista e a URSS: 162, 256

LEWIN, Willy (1908-71), poeta e crítico literário brasileiro: 152

LIMA, Manuel de Oliveira (1867-1928), historiador e diplomata brasileiro: 61

LINS, Wilson (1920-), romancista brasileiro: 32

LITVINOV, Maxim Maximovich (1876-1951), político russo: 128

LOBATO, Monteiro (1882-1948), escritor brasileiro: 132, 176, 216, 229

LORCA, Federico García ver García Lorca, Federico

LUDWIG ver Renn, Ludwig

LUXEMBURGO, Rosa (1871-1919), filósofa marxista alemã: 256

MACHADO, Aníbal (1884-1964), escritor brasileiro: 187

MACHADO, Antonio (1875-1939), poeta espanhol: 31, 38

MACHADO DE ASSIS, Joaquim Maria (1839-1908), escritor brasileiro: 64, 214

MAGALHÃES, Benjamin Constant Botelho de ver Constant, Benjamin

MANN, Heinrich (1871-1950), escritor alemão, irmão de Thomas Mann: 32

MANN, Thomas (1875-1955), romancista alemão, filho de mãe brasileira: 31, 150

MANNERHEIM, Carl Gustaf Emil, marechal (1867-1951), militar e político finlandês: 197, 252, 253-4

MARCH, Fredric (1897-1975), ator norte-americano: 117

MARTÍNEZ ZUVIRÍA, Gustavo (1883-1962), escritor argentino conhecido pelo pseudônimo de Hugo Wast: 173-4, 180-1, 184, 204

MARTINS, Ivan Pedro de (1914-2003), escritor brasileiro: 167, 187, 200, 215

MARTINS, Manuel (1911-79), artista plástico brasileiro: 125

MARX, Eleanor (1855-98), autora socialista, filha de Karl Marx: 256

MARX, Karl (1818-83), pensador alemão, criador do socialismo científico: 256-7

MARX, Roberto Burle (1909-94), artista plástico brasileiro: 124

MAUROIS, André (1885-1967), escritor francês: 122

MIHAILOVIC, Draza (1893-1946), general iugoslavo: 118-9, 143, 156, 185-6, 193-4, 250

MOLOTOV, Viatcheslav Mikhailovitch (1890-1986), diplomata soviético: 128

MORÍNIGO, Higinio (1897-1985), presidente do Paraguai de 1940 a 1948: 192, 220

MOURÃO, Noêmia (1912-92), pintora brasileira: 125

MUSSOLINI, Benito (1883-1945), chefe de governo da Itália de 1922 a 1943, fundador do fascismo italiano: 37, 46, 48, 77, 79-81, 89-90, 92, 96-7, 101, 103-4, 111, 118, 122, 136, 142-4, 155, 159-60, 165-6, 175, 186, 188-9, 203, 206-7, 234, 250, 253

MUSSOLINI, Edda (1910-95), filha do ditador italiano Benito Mussolini: 159-60

NABUCO, Joaquim (1849-1910), político e diplomata brasileiro: 61

NAPOLEÃO ver Bonaparte, Napoleão

NERY, Ana (1814-80), enfermeira baiana, voluntária na Guerra do Paraguai: 84

NYE, Gerald (1892-1971), senador norte-americano: 178

ORNELAS, Manoelito d' (1903-69), escritor e jornalista brasileiro: 187

OSORIO, Manoel Luis (1808-79), general brasileiro: 78

PANCETTI, José (1902-58), pintor brasileiro: 124, 218-9

PAPEN, Franz von (1879-1969), político alemão: 145

PARANHOS JÚNIOR, José Maria da Silva ver Rio Branco, Barão do

PASTEUR, Louis (1822-95), cientista francês, desenvolveu a pasteurização e a vacina anti-rábica: 75

PATROCÍNIO, José do (1854-1905), jornalista brasileiro: 64

PATRÓN Costas, Robustiano (1878-?), empresário e político argentino: 108

PEDRO II (1923-70), rei da Iugoslávia: 119, 143-4, 156, 193, 203

PEIXOTO, Floriano (1839-95), militar e político brasileiro: 78

PEÑARANDA, Enrique (1892-1969), presidente da Bolívia de 1940 a 1943: 220-1

PERÓN, Juan Domingo (1895-1974), célebre estadista argentino, foi presidente de 1946 a 1955 e de 1973 até o ano de sua morte: 181, 184, 192, 204, 236-7, 239, 255

PÉTAIN, Philippe (1856-1951), militar e político francês durante a ocupação nazista: 31, 60-3, 94-5, 128, 139, 143, 216, 222-3, 226-7, 250-1

PEYROUTON, Marcel (1887-1983), político francês: 138

PORTINARI, Candido (1903-62), pintor brasileiro: 124, 218

PRADO, Carlos (1908-92), pintor brasileiro: 124

QUISLING, Vidkun (1887-1945), militar norueguês, colaborou com a ocupação nazista da Noruega: 140, 143, 146

QUITÉRIA, Maria (1792-1853), militar baiana, heroína da Independência do Brasil: 84

RAMÍREZ, Pedro Pablo (1884-1962), general argentino de inspiração nazifascista, exerceu o comando ditatorial da Argentina entre 1943 e 1944: 106, 108, 139, 163-4, 173, 180-1, 183-4

RAMOS, Artur (1903-49), antropólogo e folclorista brasileiro: 63

RAMOS, Graciliano (1892-1953), escritor brasileiro: 33

RAWSON, Arturo (1885-1952), presidente da Argentina em 1943: 181, 184

REBELO, Marques (1907-73), pseudônimo do escritor e jornalista Eddy Dias da Cruz: 32

REBOLO GONSALES, Francisco (1902-80), pintor brasileiro: 125

REED, John (1887-1920), jornalista norte-americano: 244-5

REGO, José Lins do (1901-57), escritor brasileiro: 32, 167-8, 188, 199-200, 205

REMARQUE, Erich Maria (1898-1970), pseudônimo de Erich Paul Remark, escritor alemão: 32, 115

RENN, Ludwig (1889-1979), pseudônimo de Arnold Friedrich Vieth von Golssenau, escritor alemão: 32, 53

REYNOLDS, Quentin (1902-65), jornalista norte-americano, foi correspondente durante a Segunda Guerra Mundial: 114-5

RIBBENTROP, Joachim von (1893-1946), ministro das Relações Exteriores da Alemanha nazista: 140

RIO BRANCO, Barão do [José Maria da Silva Paranhos Júnior] (1845-1912), diplomata e político brasileiro: 61

RÍOS, Juan Antonio (1888-1946), presidente do Chile entre 1942 e 1946: 43-4

ROBESON, Paul (1898-1976), ator e cantor norte-americano: 117

RODRIGUES, Augusto (1913-93), ilustrador e caricaturista brasileiro: 124

ROLLAND, Romain (1866-1944), escritor francês: 122-3, 187

ROOSEVELT, Franklin Delano (1882-1945), 32º presidente norte-americano, durante seu governo os EUA entraram na Segun-

da Guerra Mundial: 46, 48, 57, 90-3, 100-1, 129, 142-3, 175, 178-9, 194, 205

ROSENBERG, Alfred (1893-1946), político alemão, importante teórico do nacional-socialismo: 146

ROTH, Joseph (1894-1939), escritor austríaco, morreu em Paris: 53

SALAZAR, António de Oliveira (1889-1970), ditador português, governou o país entre 1932 e 1968: 145, 194, 207, 222-3, 235, 250, 255

SALGADO, Plínio (1895-1975), escritor brasileiro, fundador da Ação Integralista Brasileira: 55-7, 64-5, 67, 72, 81, 86, 93, 141, 207, 219, 223

SANTA ROSA, Tomás (1909-56), pintor brasileiro: 124

SCHMIDT, Augusto Frederico (1906-65), poeta brasileiro da segunda geração modernista, e empresário no Rio de Janeiro: 32

SCLIAR, Carlos (1920-2001), pintor brasileiro: 124, 208-9

SEGALL, Lasar (1891-1957), pintor brasileiro de origem lituana: 124, 167, 218-9, 230-1

SEVERSKY, Alexander Procofieff de (1894-1974), aviador americano de origem russa: 173

SILVA, Quirino da (1897-1981), artista plástico brasileiro: 124

SINCLAIR, Upton (1878-1968), escritor norte-americano: 204

STÁLIN, Josef (1878-1953), ditador da União Soviética durante a Segunda Guerra Mundial: 46, 92-3, 142-3, 157, 161-2, 169-70, 198, 217, 238

STEINBECK, John (1902-68), escritor norte-americano: 132-3, 204, 240, 244

TABORDA, Raúl Damonte (?-1941), político argentino: 108

TAMANDARÉ, almirante [Joaquim Marques Lisboa], (1807-97), patrono da marinha de guerra do Brasil: 78

TIMOCHENKO, Semyon (1895-1970), militar soviético: 92-3

TITO, Josip Broz, marechal (1892-1980), ditador iugoslavo: 118-9, 144, 156, 185-6, 193-4, 213, 223-4, 254

TOGLIATTI, Palmiro (1893-1964), político italiano: 223

TOLEDANO, Vicente Lombardo (1894-1968), político mexicano: 192

TOLSTÓI, Aleksei (1883-1945), escritor russo: 244

TOLSTÓI, Liev (1828-1910), escritor russo: 33

TORELLY, Apparício (1895-1971), jornalista e escritor humorístico brasileiro, escrevia sob os pseudônimos de Apporelly e Barão de Itararé: 210-1

TRAVEN, Bruno (1890-1969), pseudônimo de um enigmático escritor alemão: 69

TRÓTSKI, Lev (1879-1940), teórico marxista e líder soviético: 92

VALÉRY, Paul (1871-1945), poeta francês: 122

VARELA, Fagundes (1841-75), poeta brasileiro: 64

VARGAS, Getúlio Dornelles (1882-1954), político brasileiro, ditador e, posteriormente, presidente eleito da República: 87, 102-3

VATUTIN, Nikolai Fyodorovich (1901-44), militar soviético: 162

VERISSIMO, Erico (1905-75), escritor brasileiro: 32, 167, 214

VIANA FILHO, Luiz (1908-90), escritor e político brasileiro: 204-5, 214

VILLA, Pancho (1887-1923), pseudônimo de José Doroteo Arango, general da Revolução Mexicana: 245

VILLARROEL LÓPEZ, Gualberto (1908-46), presidente da Bolívia de 1943 a 1946: 220-1

VÍTOR EMANUEL III (1869-1947), rei da Itália de 1900 a 1946: 96, 109, 119, 122, 137-8, 143, 155, 159, 189, 212, 250

VOLPI, Alfredo (1896-1988), pintor brasileiro: 125

WAGNER, Richard (1813-83), compositor alemão: 47

WASILEWSKA, Wanda (1905-64), escritora polonesa de grande atuação política durante a Segunda Guerra Mundial: 223

WAST, Hugo ver Martínez Zuviría, Gustavo

WERNECK, Paulo (1907-87), pintor brasileiro: 125

WEYGAND, Maxime (1867-1965), militar francês: 216, 226, 250

WHEELER, Burton K. (1882-1975), senador norte-americano: 178

XAVIER, Francisco Cândido (1910-2002), médium espírita brasileiro, conhecido como Chico Xavier: 248-9

ZANINI, Mário (1907-71), pintor brasileiro: 125

ZUMBI dos Palmares (1655-95), líder quilombola brasileiro, símbolo da resistência negra: 63-6

ZWEIG, Stefan (1881-1942), escritor austríaco radicado no Brasil, suicidou-se em Petrópolis: 32, 53, 122